BIAGI nella BUR

Enzo Biagi

CARA ITALIA

Biblioteca Universale Rizzoli

prima edizione Superbur Saggi: giugno 2000

Cara Italia

C'è una definizione che mi è rimasta dentro perché mi sembra ragionevole: «Cara, porca Italia». Penso sia di Giovanni Amendola, ma non ne sono sicuro.

Nel conto c'è Maramaldo che, come ci hanno raccontato a scuola, «uccide un uomo morto», e Salvo D'Acquisto, brigadiere dei carabinieri, che non sempre figura nei testi di scuola, che si fa ammazzare, incolpevole, per salvare la gente che ha il compito di proteggere.

Amo questo Paese: è il mio. Anche se qualche volta lo trovo ingiusto; ci sono cittadini con i quali si fa vivo soltanto con le cartoline: per chiamarli a fare il soldato o a pagare le tasse.

Ci avevano insegnato da ragazzi che eravamo i migliori: la patria di Leonardo e di Dante, di Leopardi e di Marconi, ma – aggiungo – anche della camorra, della 'ndrangheta e della mafia. I discendenti e gli eredi delle virtù dei romani (quelli antichi): ma nel corso dei secoli ci sono state tante invasioni e chissà come si sono comportate le nostre nonne.

Siamo la terra dove fioriscono i limoni, ma questa è una immagine che va bene per i classici; per i contemporanei è da queste parti che hanno inventato la pizza, celebrato la «dolce vita» e praticato, come in nessun altro luogo, il sequestro di persona.

Certamente la mia visione è parziale, e discutibile il

mio punto di vista: come attenuante il fatto che gli eventuali errori vanno attribuiti ai miei limiti: perché c'è perfino chi sbaglia per conto terzi. Provate a girare pagina: il viaggio comincia. L'augurio lo conoscete.

e. b.

ottobre 1998

Cara Italia

«Se tu fiderai negli italiani sempre avrai delusione.»

FRANCESCO GUICCIARDINI

«Gli italiani: questo popolo di santi, di poeti, di navigatori...»

BENITO MUSSOLINI

«I cittadini italiani si dividono in due categorie: i *furbi* e i *fessi*.»

GIUSEPPE PREZZOLINI

Quello che segue è il racconto di un viaggio alla scoperta del mio Paese. È stata una piacevole avventura e ringrazio chi ha cercato per me persone e notizie: Elisabetta Marinelli, Claudia Turconi, Marzio Quaglino. E, ancora una volta, la mia segretaria Pierangela Bozzi, che da anni decifra la mia impossibile grafia e conosce e ricorda le mie storie e ritrova i miei appunti, e poi Franco Grassi, il curatore attento e intelligente dei miei libri, che fa il possibile per migliorarli. In ogni caso, se qualche cosa non funziona, è solo colpa mia, e me ne scuso.

I
Torino
(La capitale del buonsenso)

«A Torino non si mangia: un pranzo offerto a qualche straniero è una grande novità per la città, e se ne discute molto.»

MONTESQUIEU

«La ricerca di una vecchia chiesa tra le stradette di un vecchio quartiere [...] può indurre in molte persone un certo senso di intimità...»

FRUTTERO & LUCENTINI

«Ël bon marcà a strassa la borsa e a manda l'om a l'ospidal.»

DETTO POPOLARE

La Torino che abbiamo conosciuto da ragazzi era quella di De Amicis, dei due vecchietti che sorridevano dalle scatole del Cacao Talmone, di *Addio, giovinezza!*: certo anche la città dove facevano le automobili, quella dei circoli dei nobili o delle leghe proletarie, con due squadre di calcio, e i grandi viali, gli edifici austeri, le memorie di una antica capitale.

Da lì, raccontavano i maestri, è partito il nostro Risorgimento: e c'è il Palazzo Carignano, con l'aula che ospitò i primi 433 deputati del Regno d'Italia, e al Ristorante del Cambio conservano il tavolo dove sedeva Camillo Benso di Cavour.

I divani scarlatti sono sempre gli stessi; tutto è rimasto come allora: i tavoli in ferro battuto, e un vecchio menù elenca i piatti che venivano serviti al signor conte: lo «stuffadino», il «sambaglione», le «sarde di Nantes». Neppure gli aristocratici e la corte erano forti in italiano.

«L'Avvocato» (è Gianni Agnelli), come il «Cavaliere» è Berlusconi, e il «Professore» Prodi, mi accompagna alla scoperta di certi aspetti inconsueti della sua città: gli Agnelli, ha scritto un polemista, sembrano cosmopoliti, ma in verità «sono torinesi tra torinesi, e torinesi Fiat tra torinesi Fiat».

Torino, o bella

Torino è molto bella, con le colline, il parco del Valentino, il fiume, i viali che fanno venire in mente i boulevard parigini: «È la prima città italiana che si presenta con un piano urbanistico definito» scriveva Giulio Carlo Argan, un famoso critico d'arte «che, nel Settecento, era sicuramente il più moderno del Paese». I portici di via Roma e di via Po guidano la passeggiata del cittadino ed esaltano piazza Castello...

C'è sempre stata a Torino una famiglia che per gli italiani contava e aveva un peso nelle decisioni importanti: si chiamava Savoia, adesso si chiama Agnelli. Le circostanze li favoriscono: gestiscono la loro impresa assai meglio di quanto i politici hanno amministrato il Paese. Il popolo, e nessuno sa quanto gli costa, li perdona anche se hanno tanti soldi. «L'ultimo signore d'Italia»: così *Stern* ha definito Agnelli III.

Era il nipote più amato dal Fondatore, che prevedeva: «Quel birichin lì», quel giovanottino, li farà ballare tutti. E non era un sentimentale. Un giorno il vecchio senatore si presenta al Lingotto aspirando il solito sigaro. Ma scorge un cartello: «È severamente proibito fumare». Chiama il custode: «Perché non mi hanno avvertito che adesso è proibito?». «Perché chiel a l'è 'l padron» risponde l'usciere, e gli sembra una buona ragione. Viene punito.

Torino si identifica con la Fiat, e anche il metalmeccanico lega la sua vita a quella della ditta. Che lo segue dappertutto: quando va a fare acquisti alla Rinascente, se beve un vermut Cinzano, se legge un libro Bompiani o Rizzoli, o i testi scolastici della Fabbri, se compera una utilitaria a rate, o se carica una sveglia Borletti, se va in vacanza al Sestrière.

È il 1899 (quasi un secolo fa!) quando la Fabbrica Italiana Automobili Torino, sorta «per la costruzione e il commercio» dei nuovi veicoli, assume i primi cinquanta dipendenti. Quanta strada.

Nasce come hobby costoso di alcuni gentiluomini dai colletti alti e dai baffi alteri: invece che alle scuderie pensano ai motori. C'è tra loro un ex ufficiale di cavalleria che, stanco di amministrare cascine, vuol tentare le sconosciute vie della meccanica, e pensa che l'automobile è destinata ad avere un futuro: è Giovanni Agnelli I.

Il modello di esordio lo fotografano al Valentino accanto a una languida signora dal cappello a vari piani: è il Tipo A. Ha i fanali a carburo, le ruote poco più grosse di quelle delle biciclette, due sedili, la tromba. Può fare anche 35 chilometri all'ora, ma il massimo consentito è di 6; costa 4200 lire. Roba da signori.

Tra i primi clienti: il re di Spagna, Guglielmina d'Olanda, il Kaiser Guglielmo II. Vittorio Emanuele III in principio è riluttante, trova il nuovo mezzo «brutto, pericoloso e abominevole», ma un giorno rimane a piedi a Ostia, per un incidente del treno, accetta un passaggio dal principe Colonna e ordina per il Quirinale dieci automezzi.

Il Piemonte è una terra dove abbondano i tipi singolari: perfino i santi escono dalla tradizione, dall'iconografia normale. Il Cottolengo, che nello spirito della carità raccoglie creature infelici, rivela anche certi aspetti manicomiali; don Bosco terro-

Vecchi fusti

Il senatore Agnelli aveva memoria, sapeva adeguarsi alle situazioni, e conosceva gli uomini, virtù e debolezze.

Alfredo Frassati, finanziere e antico editore della *Stampa*, nonché fedelissimo di Giolitti, raccontava che nei turbolenti giorni del 1920 il presidente del Consiglio andò a Torino e ricevette dal fondatore della Fiat la richiesta di un urgente colloquio. Agnelli voleva che i soldati facessero sgomberare gli operai che occupavano le officine.

«Posso provvedere subito» disse lo statista. «È di stanza qui il 70° Reggimento di artiglieria da montagna: domani, all'alba, i cannoni bombarderanno lo stabilimento.»

«Per l'amor di Dio» sospirò Agnelli.

Nessuno sparò.

rizza Vittorio Emanuele II per indurlo a non firmare le leggi Siccardi, che sopprimono alcuni ordini religiosi e tolgono alcuni privilegi alla Chiesa.

Don Bosco gli riferisce sogni terrificanti, e lo avverte: durante una visione notturna un valletto gli è corso incontro urlando: «Grande funerale a corte».

Infatti è una premonizione esatta e scalognatrice, e le maledizioni colpiscono inesorabili: il Savoia, che i sudditi considerano «Galantuomo», perde in poche settimane la madre, la moglie, il fratello e un bambino di quattro mesi, l'ultimo nato.

Il re invidia i reggimenti che vanno in Crimea a

combattere i russi; sempre meglio, dice, che dover fronteggiare preti e suore.

Dice Giorgio Bocca:

«Tutto distingue i piemontesi: la geografia e la loro storia. Per parecchio tempo hanno deciso le cose più importanti della vita politica italiana. I dirigenti del Partito comunista erano quasi tutti torinesi, Gramsci e Togliatti stavano qui; da qui è partita l'industrializzazione e il miracolo economico. L'unica multinazionale che c'è in Italia è la Fiat. Il Piemonte ha avuto per primo uno Stato e un esercito efficienti.

«C'è una dote precipua dei piemontesi, che non è la genialità, lo spirito, non sono spumeggianti, né grandi intellettuali, ma il buonsenso. Credo che Cavour e Giolitti siano stati politici che ne avevano tanto.

«Certamente il sistema di vita è molto più duro, compatto e omogeneo che da altre parti, il marchese Massimo d'Azeglio era solito dire: "Quando voglio respirare un po' di aria libera vado via da Torino e vado a Milano".

«Nel Piemonte la Fiat ha sostituito i sovrani; c'è stato proprio un passaggio: quella che era una volta l'autorità monarchica, la disciplina monarchica, si è trasferita in questa grande impresa e c'è un patriottismo aziendale per cui fino a poco tempo fa, un impiegato o un funzionario che si presentava in fabbrica con una vettura di un'altra marca, veniva considerato un reprobo.

«La Fiat ha dato ricchezza, ha fatto progredire il Piemonte, ma ha anche creato problemi terrificanti, esempio l'emigrazione al Nord dei meridionali, con problemi sociali spaventosi che non si sono sanati neppure adesso.»

Confessa Umberto Eco:

«Mi sento piemontese più ora che a venti o a quarant'anni. Come per tutte le appartenenze, si scoprono man mano che si invecchia, per le stesse ragioni per cui nel momento della morte si chiama la mamma.

«Vorrei riassumerla in un'espressione alla quale ho anche dedicato alcune pagine: "O basta là" detta di fronte a qualsiasi affermazione un po' troppo forte; può essere l'intera teoria di Hegel, l'esposizione di un sistema religioso, il progetto della pace nel mondo, una dichiarazione d'amore troppo forsennata.

«Il piemontese dice: "O basta là", che è anche un modo di stupirsi educatamente per qualcosa di sproporzionato che ci viene messo di colpo di fronte, e ritirarsi in un educato scetticismo.

«L'altra affermazione che trovo molto piemontese, sempre davanti ad affermazioni che possono andare da un discorso di Mussolini al *Manifesto* di Marx e Engels alla celebrazione della New Age è: "Lei dice?", che è un modo di lasciare all'altro la responsabilità con un garbato dissenso, una decisa volontà di non essere interessato a quello che l'interlocutore sta raccontando perché al mondo sono un po' tutti stupidi.»

– Chi ha narrato meglio caratteri e vita del Piemonte?

«Ciascuno è legato alle prime scoperte, allora vorrei dire: Pavese, perché l'ho letto nell'adolescenza, nella giovinezza, poi Fenoglio, ma forse bisogna andare anche un po' indietro, De Amicis.

«Anche il mondo di *Cuore* può funzionare solo a Torino; allora bisognerebbe riscoprirne altri nell'Ottocento. Io, per esempio, sono affezionato a un piemontese che pochissimi leggono, e che è il Dumas italiano: Luigi Gramegna. Ha raccontato un Piemonte savoiardo, con *I dragoni azzurri*, che è quello di Pietro Micca, ma lo conoscono solo quei devoti che si radunano intorno alla libreria Viglongo, all'*Almanacco piemontese*.»

L'avvocato Agnelli mi accompagna sui luoghi che segnano il paesaggio, e lo stile di Torino, e anche momenti della sua vicenda: ci legano affinità generazionali, siamo di quelli che nel giugno del 1940 avevano vent'anni.

Andiamo al Lingotto; sul tetto c'è la pista dove provavano le auto e facciamo un giro. Credo che l'idea l'abbia avuta il primo Giovanni Agnelli, che era uno dei pochi italiani, con il senatore Cini, il finanziere, che conosceva allora gli Stati Uniti e aveva visto la Ford.

Il Lingotto, ora restaurato, è la scenografia degli eventi che contano.

«Mussolini [racconta Gianni Agnelli] l'ho visto la prima volta da bambino, proprio qui; ci fu l'adunata nel cortile, il nonno indossava il tight, eravamo nel 1932. Sette anni dopo, invece, a Mirafiori, molte cose erano già cambiate: portava l'uniforme di membro del Senato, io ero in divisa fascista; stavo sul palco, ma in fondo, lontano. Mussolini arrivò con un'Alfa o una Lancia, e la cosa fu considerata di pessimo gusto. Poi si rivolse alle maestranze: "Il mio discorso sulla previdenza e sugli orari settimanali lo avete letto?" chiese. Un lungo, imbarazzante silenzio. "Allora" riprese irritato "andate a casa e imparate."»

Il senatore si sentiva innanzitutto piemontese e parlava volentieri il dialetto; i gerarchi fascisti li aveva battezzati «gli italiani», il che fa supporre non avesse una grande considerazione dei compatrioti.

Ancora un ricordo: al funerale di Edoardo Agnelli, padre dell'Avvocato, la bara è portata dai capi reparto del Lingotto e accanto al gagliardetto del gruppo rionale fascista c'è l'azzurra bandiera della Fiat con il motto: «Cielo, Terra, Mare».

Andiamo allo Stadio Comunale, dove si sta allenando la Juventus.

Mi presenta a Marcello Lippi: è un allenatore che ammiro, perché parla e si comporta secondo gli usi delle persone serie. Del resto, nelle interviste, sono quasi sempre gli atleti che ne escono meglio.

«Qui» dice l'Avvocato «giocava la squadra dei tempi di mio padre, quando vinsero cinque scudetti, dal '30 al '35. Qualcuno dice che non si deve parlare del passato, ma non è vero, è molto piacevole farlo.»

Mi permetto una citazione da un libro di memorie che ebbe un certo successo: quello di una maîtresse americana. «Il passato» diceva «ha sempre il culo più roseo.»

E l'Avvocato aggiunge: «Chi non ha ricordi di solito li ha così brutti che non li vuole rievocare».

Proseguiamo per il Museo nazionale del Risorgimento, con la guida gentile e dotta del professor Umberto Levra, docente di storia all'università.

C'è l'aula del Parlamento subalpino, lo studio di Carlo Alberto e hanno ricostruito la cella di Silvio Pellico allo Spielberg: le sue memorie, nei bei tempi del nozionismo, erano una lettura educatrice, ma adesso credo che gli alunni pensino che la marcia su Roma fu una riuscita competizione di atletica leggera.

Quando Pellico venne liberato, dopo gli anni di dura prigionia, i bravi compatrioti mormorarono che tornava a casa perché era diventato una spia degli austriaci.

Del resto è nella tradizione: De Gasperi poteva avere chiesto agli americani, con lettera autografa, un bombardamento di Roma, e Parri dovette andare in tribunale a spiegare che non aveva tradito i partigiani. Mi disse Riccardo Bacchelli che, quando morì Cavour, a Ferrara affissero un manifesto: «Disfece il Piemonte e non fece l'Italia».

Dice l'Avvocato: «Quando uno pensa alla storia d'Italia dovrebbe partire proprio da qui».

Entriamo nell'aula di Palazzo Carignano. E il professor Levra racconta: «Erano in 120. Ecco dove sedevano Gioberti, d'Azeglio, Cesare Balbo, Quintino Sella. Siamo tra i moderati. I posti sono contraddistinti da una coccarda. Dal lato dell'estrema, come si usava dire allora, abbiamo Lanza, Depretis; Garibaldi nell'Assemblea italiana: prima seduta 19 ottobre 1861».

Agnelli: «Pensi: invece di Bertinotti c'era Depretis».

Professor Levra: «Il Senato era la camera vitalizia: nobili, militari, alti funzionari dello Stato; era considerata allora una *sine cura*. Infatti molti lo hanno rifiutato: Massimo d'Azeglio, il fratello Roberto e Cesare Balbo. Volevano stare qui, perché qui si faceva la politica».

Agnelli: «Anche Churchill non ha voluto andare alla Camera dei Lord, ma ha voluto stare alla Camera bassa».

Nel museo sono conservati i libri che Carlo Alberto portò con sé in esilio, a Oporto, molti con le sue annotazioni. Morì in Portogallo solo dopo pochi mesi. «Era una testa notevole,» dice la mia guida «a differenza del figlio, Vittorio Emanuele II, un simpatico guascone.»

Mi viene in mente Umberto, «il Re di maggio», l'ultimo Savoia che visse al Quirinale, e Gianni Agnelli dice: «L'ho conosciuto da bambino. Andai a salutarlo il giorno che andò via, dopo il referendum. Non è vero che fece resistenza».

È Susanna Agnelli che ricorda quando in casa c'erano feste o ricevimenti, e si spargeva la notizia emozionante: «Stasera vengono i Principi di Piemonte».

Maria José portava il diadema sui capelli biondi, il filo di perle attorno al collo, l'abito di seta scollato, come nelle fotografie di Ghitta Carrel. Umberto indossava l'alta uniforme, magro, compo-

Una ex regina e un tempo lontano

Enzo Biagi: – La chiamavano «Regina di maggio». Le dispiace rievocare quei giorni?
Maria José: «No. Tutta la gente lo sapeva che non si rimaneva. Ho vissuto come in aspettativa. Pensavo che la monarchia non sarebbe passata al referendum.»
– Non avevate qualche possibilità di salvarvi?
«Forse ritardando il referendum, ma non so.»
– Le è pesato molto il distacco dall'Italia?
«Sì, perché pensavo che non sarei mai più ritornata.»
– Al referendum lei votò socialista...
«Fascista non potevo votare, democristiano non volevo, comunista neppure e non ritenevo opportuno scegliere la lista monarchica. E poi ci vuol sempre un partito forte, che tenga a bada i comunisti. Ma, adesso, le cose sono cambiate. Perché ogni momento è diverso, nella storia.»
– Come avvenne il suo distacco dall'Italia?
«Be', sa, mi dispiaceva dover andar via.»

sto, sorridente. «Maria José» ricorda Susanna «era bellissima, assomigliava a Carolina di Monaco, molto timida, ma anche tanto strana.»
Poi andiamo a vedere la prima fabbrica Fiat in corso Dante: «Da qui» dice Claudio Poli, l'amministratore delegato dell'Isvor «sono usciti tutti i capi, perché i ragazzi che l'hanno frequentata erano talmente ben preparati che hanno fatto carriera». Commenta Agnelli, che ha spesso qualche riferi-

mento alla stimata vita militare: «Erano i nostri sottufficiali, le famose giacchette nere».

Il discorso va a cadere su un vecchio democristiano che fu ministro dell'Interno, che chiese il mio licenziamento da un settimanale perché avevo pubblicato un articolo sui poveri operai ammazzati dalla «Celere» a Reggio Emilia, e lo ottenne. Anche Agnelli lo ricorda:

«Andai al Viminale. Si doveva lamentare di qualcosa. Fatto sta che mi disse: "Io so delle cose di lei". Quando uscii incontrai nel corridoio Calcaterra, capo della polizia, che mi disse: "So quello che le ha detto: non ci faccia caso. Lo dice a tutti"».

C'è una parola che adesso si usa tanto, forse troppo: emozione. Scusate: la adopero anch'io. Amo Torino e il suo giornale: in quella redazione ho trovato sempre un posto, quando qualche onorevole, si fa per dire, mi faceva licenziare.

Torino è molto, molto bella... Senti il tono di un vecchio mondo che sapeva vivere con dignità e discrezione.

Raccontano i cronisti che anche allora i divertimenti erano decorosi, ma non esaltanti: riviste, corse di biroccini, fiere di beneficenza, caffè concerto. C'era, molto ambìto, il «ballo delle tote», organizzato dalle più prestigiose signorine della città, per agguantare qualche buon partito. Ma la mondanità era contenuta: i ministri di Sua Maestà, nel pomeriggio, si incontravano in via Po per la consueta passeggiata, andavano in giro fumando il sigaro chiamato Cavour e salutavano togliendosi il cappello di paglia o il feltro grigio. La Società del whist era il luogo di convegno più esclusivo: bisognava, per entrarvi, avere la tradizione alle spalle. Anche oggi è così.

È a Torino che nasce il cinematografo, nei capannoni dalle pareti di vetro, e la radio, e fino al termine della guerra c'era un indirizzo famoso: Eiar, via Arsenale 21, Torino, ed è qui che viene fondata la Fiat.

C'è una poetica definizione degli anniversari di Borges: «Un attimo che muore e un altro che sorge». Le vicende di una industria che si intrecciano, anzi, prendono il via, da quelle di una famiglia: gli Agnelli.

Un'officina torinese ai tempi di *Cuore*

Affacciandoci alla porta, vedemmo il fabbro, seduto su una torricella di mattoni, che studiava la lezione, col libro sulle ginocchia. S'alzò subito e ci fece entrare: era uno stanzone pien di polvere di carbone, colle pareti tutte irte di martelli, di tanaglie, di spranghe, di ferracci d'ogni forma; e in un angolo ardeva il fuoco d'un fornello, in cui soffiava un mantice, tirato da un ragazzo. [Il fabbro] era vicino all'incudine, e un garzone teneva una spranga di ferro nel fuoco. [...]

Il garzone gli porse una lunga spranga di ferro arroventata da un capo, e il fabbro l'appoggiò sull'incudine. Faceva una di quelle spranghe a voluta per le ringhiere a gabbia dei terrazzini.

Alzò un grosso martello e cominciò a picchiare, spingendo la parte rovente ora di qua ora di là, tra una punta dell'incudine e il mezzo, e rigirandola in vari modi; ed era una meraviglia a vedere come sotto ai colpi rapidi e precisi del martello il ferro s'incurvava, s'attorceva, pigliava via via la forma graziosa della foglia arricciata d'un fiore, come un cannello di pasta, ch'egli avesse modellato con le mani.

EDMONDO DE AMICIS

Once upon a Time...

La Fiat è un frutto ingigantito della intelligenza torinese di punta; compie a Torino la funzione del principe. E questa non sarebbe la città che ho descritta, se intorno ad essa, insieme con l'ammirazione, e proprio come intorno al principe, non serpeggiasse il brontolio della famiglia disturbata dalla sua prole. Una fronda, del resto, tutta verbale e indefinibile; le lamentele della vecchia Torino. «Lei non farà mica il solito errore di credere che qui a Torino ci sia solo la Fiat» borbotta il vecchio torinese...

GUIDO PIOVENE

Catena di montaggio

Così il moto delle macchine condizionava e insieme sospingeva il moto dei pensieri. E dentro a quest'armatura meccanica, il pensiero a poco a poco s'adattava agile e soffice come il corpo snello e muscoloso di un giovane cavaliere rinascimentale s'adatta nella sua armatura, e riesce a tendere e rilassare i bicipiti per sgranchire il braccio addormentato, a stirarsi, a strofinare la scapola che gli prude contro il ferreo schienale, a contrarre le natiche, a spostare i testicoli schiacciati contro la sella, e a divaricare l'alluce dal secondo dito: così si dispiegava e snodava il pensiero di Pietro in quella prigione di tensione nervosa, d'automatismo e di stanchezza. Perché non c'è carcere senza i suoi spiragli. E così anche nel sistema che pretende d'utilizzare fin le minime frazioni di tempo, si giunge a scoprire che con una certa organizzazione di propri gesti c'è il momento in cui ci s'apre davanti una meravigliosa vacanza di qualche secondo...

ITALO CALVINO

II
Milano
(Un tempo era la capitale morale...)

«Una fama universale magnifica Milano, così come si esalta la rosa o il giglio tra i fiori, il leone tra i quadrupedi e l'aquila tra gli uccelli... Né ciò è sorprendente, dal momento che Milano supera tutte le città.»

BONVESIN DE LA RIVA

«Milano, la più popolosa fra le regine italiane, in un certo senso, si sforza di essere una piccola Londra.»

KAREL ČAPEK

«De Milan ghe n'è domà vun.»

DETTO POPOLARE

La mia vita è stata segnata anche dai viaggi: ma non sarei affatto un nomade. Cerco di andare sempre negli stessi alberghi, mi dispiace non ritrovare al ristorante certi vecchi camerieri. Non appartengo alla categoria degli avventurosi esploratori, pellegrini, e neppure turisti.

A Roma andai la prima volta nel 1933: ero un ragazzino e fu un premio perché mi ero distinto in una materia inconsueta: la religione.

Con tanti altri giovanotti e adolescenti, dopo una visita alle catacombe (e pensai che gli eroici cristiani avranno sofferto anche di artriti) ci recammo in udienza dal papa, che era Pio XI: un vecchio vestito di bianco, con gli occhialini e l'aria affaticata. Allora sui giornali c'era una polemica, e Leo Longanesi scriveva: «Meglio un balilla di dieci chierici»; mia madre mi aveva ricamato la cotta.

Il Santo Padre mi consegnò un gagliardetto per il circolo cattolico e la prontezza di un monsignore evitò che, con il mio imbarazzo, il vessillo finisse addosso al pontefice.

Milano, per me, era ancora più lontana: durante la guerra mandai qualche racconto a un settimanale di Rizzoli, me lo pagarono 100 lire, e da prati-

Piazza del Duomo

Chi dice Milano dice Duomo, dice Madonnina: sta lassù, sopra le guglie, dorata, nella luce del sole o dei riflettori. È il punto di ritrovo per il comizio, la sagra del risotto, la Stramilano, il concerto in piazza. C'è la domenica un mercatino dei fiori e degli uccellini e dalla periferia arriva una folla colorita che ha una spiccata aria paesana, da giorno di festa.

Piazza Duomo non è bella, ma singolare: è un campionario di seicento anni di architettura e la stessa cattedrale ha dovuto aspettare cinque secoli prima che arrivasse Napoleone a dare ordine di completare la facciata.

C'è, da un lato, l'Arengario, che qualcuno vorrebbe buttare giù; c'è la Galleria, forse impropriamente definita «il salotto», con qualche locale famoso, come il Ristorante Savini, un tempo ritrovo di artisti, di bustarellari e oggi di signori facoltosi; e c'è un edificio dominato da insegne luminose che non hanno niente a che vedere con tutto il resto ma «i danée» sono i soldi, e qui sono abituati a rispettarli.

Qualcuno vorrebbe cambiarla, ma penso che sarebbe un errore: è entrata così nella memoria collettiva e non credo che sarebbe un miglioramento piantare una quinta di alberi di alto fusto o rifare la pavimentazione, o spostare il monumento a Vittorio Emanuele II, o buttare giù qualche palazzo. Ha una sua dignità che non andrebbe turbata, ed esalta anche due simboli della intraprendenza lombarda: Motta e La Rinascente. Tra la basilica e il panettone c'è visivamente anche qualche affinità.

cante redattore al *Resto del Carlino* il mio stipendio era di 500.

In un film di Germi una vecchietta siciliana che emigrava al Nord diceva ai compagni di una terza classe: «A Milano ci sta gente cattiva: mangiano riso».

La mia idea, invece, era che in quella città della nebbia c'erano brave persone, generose, che mandavano tanti soldi a un piccolo giornalista di provincia.

Non dico la festa che facemmo a Natale quando ricevetti anche un panettone con gli auguri dell'editore.

Ci arrivai, finalmente, alla fine del 1945: si attraversava il Po su un ponte di barche, le strade erano segnate dai bombardamenti e le cronache dai banditi, che scappavano anche da San Vittore; ero in compagnia di Giorgio Vecchietti e andammo a dormire da un suo amico avvocato, in un alloggio senza riscaldamento. L'ospite, ricordo, disse: «Ho deciso, mi iscrivo nei repubblicani. È un partito piccolo e forse è più facile fare carriera».

Passammo una sera, mi pare, al Lirico, dove Macario rappresentava una sfarzosa rivista, *Febbre azzurra*, e la soubrette era Lea Padovani. Il comico, che conoscevo, si era invaghito della bella attrice, ma più tardi mi confessò che non la capiva; lei gli parlava con ammirazione degli scrittori americani, di Caldwell in particolare, quello de *La via del tabacco*, e lui le rifaceva il verso: «Senti, Erminio, che poesia: "La terra è buona, assaggia la terra"». E a lui la terra non piaceva.

Mi rimase dentro un senso di freddo, di pioggia; pensavo ai racconti di Marotta. Le ragazze mi facevano venire in mente le dattilografe di Luciana Peverelli, che tendevano a invaghirsi degli aviatori, al bar mi pareva che tutti avessero troppa fretta, abbreviavano perfino le parole, non «cappuccino», ma «cappuccio», qualche sillaba veniva risparmiata, mi colpì sulla chiesa di San Calimero un manifesto sacro che proclamava: «Date, e vi sarà reso al cento per cento». Pensai: «Qui si tratta anche con il paradiso».

Milano un po' mi sgomentava: rivedo la stazione, di notte, in autunno; andavo in Inghilterra, si sposava Elisabetta (accidenti, siamo nonni tutti e due), e dividevo la cabina del vagone letto con una persona indimenticabile, Enrico Emanuelli. Quanti alberi sono stati abbattuti nel bosco dei miei incontri felici.

Gli dicevo: «Deve essere difficile vivere qui» perché tutto mi pareva troppo grande per le mie abitudini e i miei paesaggi, ma Emanuelli, che era di Novara, ci stava benissimo e mi spiegava: «L'editoria è a Milano».

Più tardi Bruno Fallaci, lo zio dell'Oriana, che avevo conosciuto durante una licenza dal fronte, a Firenze, mi offrì il posto da redattore capo a *Epoca*, già allora traballante, e mi diede una sua interpretazione ancora più concreta: «Se vola anche solo un biglietto da mille, sta' sicuro che è nel cielo di Milano».

Quando lasciai Bologna, vedendo sparire il colle di San Luca, piangevo: ma dopo tanti consulti con mia moglie e un cordiale colloquio con Arnoldo Mondadori che diceva: «Tra noi padani», ma non prevedeva l'arrivo di Bossi, avevo deciso. Anche perché, nel natio borgo selvaggio, mi sentivo

Fidarsi o non fidarsi?

Umberto Bossi spara bordate di ignoranza che qualcuno interpreta come prove di coraggio. Non pensa quello che dice, e non dice quello che pensa: forse è anche un motivo del consenso che ottiene.

Il problema di alcuni partiti, specie di quelli più fragili, è se mettersi o no in combutta con lui: ma di solito due zoppi non fanno un corridore.

C'è da fidarsi? Conviene davvero?

Dollmann, l'interprete dei colloqui del Führer con il duce, mi disse che Hitler aveva sbagliato ad allearsi con il nostro impero: di sicuro non era serio come il Reich.

Quando Filippo Anfuso, brillante diplomatico e grande amico di Galeazzo Ciano, tornò in Sicilia, dopo essere stato con Salò e in galera, il massaro che curava la sua terra commentò: «Eccellenza, ve lo avevo detto di non mettervi con gli italiani».

È un affare diventare soci dell'Umberto? Per le referenze, rivolgersi a Silvio Berlusconi.

un po' a disagio; avevo aderito al manifesto di Stoccolma, quello contro l'atomica, e qualcuno mi dipingeva come un insidioso sovversivo.

Per la verità al collega comunista che mi aveva sottoposto il problema io avevo precisato: «Sono anche contro a chi fa bum con la bocca».

E fu così che le mie bambine diventarono milanesi (e una è nata qui) e lo sono diventato anch'io. «Cuntent?» dicono da queste parti. «Cuntent.»

Nei primi giorni ci spingevamo, dandoci la mano, per paura di perderci, fino a piazza del Duomo, punto di convegno di tutti gli esuli da sempre, domestiche, balie, soldati, come si vede nelle foto color seppia dei primi tram, dei primi magazzini dei fratelli Bocconi, poi diventarono La Rinascente, e di Giuseppe Verdi, vestito e cappelluccio nero, che passeggia in quella che poi sarà via Manzoni.

«Dove è il lavoro ivi è la mia patria» diceva il colorito personaggio di un film all'esordiente Marilyn Monroe. E Brecht ha scritto che, ovunque si trovava, alzando la testa vedeva sempre le stesse stelle, ma c'è spazio anche per la nostalgia: non solo di un luogo ma, più forte, di una stagione della propria vita.

Me lo confermò Luchino Visconti, rievocando con abbandono certe immagini, certe sensazioni dell'adolescenza:

«L'odore di Milano,» diceva «che nessuno mi restituirà mai; era piena di giardini, le carrozze, il profumo che usciva dalle botteghe dei prestinai, lo stridìo delle rondini verso sera, che volavano attorno a casa nostra, in via Cerva, le campane di San Carlo, i signori che uscivano dal Bar Canella.

«Mia madre ci portava a passeggio sui Bastioni, sento ancora il sudore dei cavalli. All'ora di cena, la luce del lampadario andava giù, e mio padre diceva: "Hanno acceso alla Scala".»

Scoprii la Milano di mezzo secolo fa e alla Scala c'era Ghiringhelli; quando tardavano gli aiuti da Roma, sborsava di suo. Cantavano la Callas e la Tebaldi, era tornato Toscanini. Mi raccontò il sovrin-

---

Quel fatale viaggio sul «Cristina»

Scesero a Costantinopoli, e anche Giambattista Meneghini – quella volta – si accodò alla compagnia. Maria Callas e Onassis li condussero in visita dal patriarca, e quel bel vecchio dalla immensa barba e dagli occhi accesi fece uno strano discorso, che la compiacenza di un interprete rese intelligibile anche a «Titta» (così lo chiamava, ai bei tempi, la consorte).

«Voi due» disse il patriarca, e segnava con il dito il potente padrone di Montecarlo e la diva acclamata «siete i più illustri cittadini di Grecia. Quando sarete uniti, potrete fare nobili cose per il nostro Paese.»

«Uniti come?» si chiese il commendatore. «Uniti perché?» Era sempre stato lui a consigliare le imprese da realizzare, e a concluderle. Ebbe la spiegazione una mattina, poco dopo l'alba. Stava dormendo e fu svegliato dalla moglie, che non si era coricata. Erano le sette, quando Maria Callas entrò nella cabina e gli disse: «Titta, a Milano dovrò dirti una cosa tanto grave che cambierà la nostra vita».

Non aggiunse altro, non volle dire altro. Soltanto il giorno di Ferragosto Battista «Titta» Meneghini seppe che la sua legittima sposa considerava finita la loro meravigliosa avventura.

tendente che il maestro lo chiamò in camerino, tirò fuori con fatica mille lire e lo pregò: «Per favore, comperi dei fiori e li faccia portare sulla tomba di una signora. Eravamo giovani e ci siamo voluti bene».

Grassi e Strehler, con l'aiuto insostituibile di Nina Vinchi, fondavano il Piccolo Teatro: lo portarono poi in giro per il mondo. Misero in cartellone Tennessee Williams, Thornton Wilder, Salacrou e Dürrenmatt, e venne da Berlino Brecht. Strehler lo ricordava «sorridente, un po' cinese, lasciava parlare, interveniva, comprendeva».

Conobbi una gran signora, Wally Toscanini, credo la figlia prediletta. «Sei come una cinciallegra» le diceva il maestro. Cercava la sua città, quella di prima dell'America: anche le botteghe dei fornai, gli piacevano tanto il pane e le minestre: «Ho i gusti dei poveri» ripeteva e Wally conservava le giacche da lavoro, i feltri dall'ala rivolta all'insù, il frac che indossava sul podio; li portò a Parma, nella vecchia casa dove Toscanini è nato.

A volte penso che a Milano ho trovato me stesso: è giusta per me, perché non è chiusa, non è orgogliosa, non è razzista, non è diffidente, perché è leale: pensa di darti quello che meriti, non ti chiede atti di fede, non devi abdicare a niente, né al tuo modo di vivere o di pensare.

«Terùn» è un modo di dire affettuoso. Accoglie tutti: e dà pane perfino ai poeti che trovano editori e riconoscimento. Tutti, o quasi, diventati milanesi: Gatto, Montale, Quasimodo, Carrieri, un rotocalco o un ufficio stampa lo rimediavano sempre.

Mi dice Castellaneta, lo scrittore che ha raccontato tante volte la sua città:

«Di nuovo c'è la Milano multietnica che non è mai esistita. Mi fa impressione, quando vado in metropolitana, vedere che accanto al mio braccio che si regge allo scorrimano c'è anche una mano di colore diverso, anche se ormai dovrei essere abituato.

«Mi rendo conto che, per chi viene da fuori, è difficile da conquistare, perché è piuttosto chiusa: c'è sempre un sottopassaggio duro da affrontare, che è quello del lavoro.»

Credo sia la sola città europea: Roma è internazionale. Ogni giorno la popolazione cresce di 700.000 abitanti: treni e autobus e vetturette scaricano una folla di «pendolari». Ci sono da parcheggiare 300.000 automobili che arrivano da fuori.

Milano ha la sua notte. Ci sono nove edicole sempre aperte, e c'è in stazione, dove cercano rifugio i senzatetto, un supermercato che non conosce vacanze e chiude a mezzanotte. A Brera, dove negli anni Cinquanta al Bar Jamaica si incontravano gli artisti, imperversano i «vu' cumprà».

È sui Navigli che va a finire la gente: fracasso, fumo, musica che ti stordisce. È un vivido ricordo di quel poeta, geniale e gentile che è Alda Merini:

«Il Naviglio è stanco, riottoso, difficile, antico, stracarico, colpevole, puttanesco, drogato di sogni, ritoccato dalla mano sapiente del consumismo, oggi sembra un'enorme prostituta bal-

Quando anche noi eravamo «vu' cumprà»

È brutto chiamare gli stranieri «vu' cumprà», o è anche un po' affettuoso?

Sono troppi, non sappiamo come sistemarli, ma non si potrebbe anche tentare di conciliare una regola giusta con un comportamento umano?

Proprio noi, che mandavamo in giro i nostri compatrioti con il passaporto rosso, ammucchiati sui piroscafi che li portavano, in ogni senso, in «terre assai luntane»?

Quante offese hanno sopportato i piccoli siciliani e i piccoli napoletani, sbarcati con la valigia di fibra e il bottiglione dell'olio a Ellis Island. Li chiamavano «testa di brillantina», per quei capelli lucidi e divisi dalla riga come li portava Rodolfo Valentino nel *Figlio dello sceicco*; «dago», che vuol dire uno che viene dall'Italia; o «macaroni», che non ha bisogno di spiegazioni.

Anche tra gli extracomunitari ci saranno tipi di ogni genere: spacciatori di droga, cialtroni o possibili violenti, ma circolano lavamacchine che hanno una laurea in ingegneria, o cameriere che possiedono un diploma.

Certo, è una massa di disperati, che tentano di sopravvivere: so, quasi sempre, da dove vengono, quali tragedie lasciano alle spalle.

Buttarli fuori è una crudeltà, ma lo è anche lasciarli andare alla ventura, quando c'è una mezza Italia che è una grande Harlem, o la periferia di Washington, o le bidonvilles delle città americane, con tante antenne tv, e centinaia di migliaia di «vu' cumprà» bianchi, che sono nostri fratelli.

lonzolona. Ricordo invece le pietre nude, i paradossali momenti di follia, le bestemmie, le cicche delle lavandaie, i miei figli che languivano nella fame, le autoambulanze che mi portavano via e mi riportavano indietro a seconda degli umori».

Il centro è deserto; solo gruppetti di peruviani si siedono attorno al monumento di Vittorio Emanuele II e quando se ne vanno lasciano un tappeto di cartacce e di lattine vuote. Più tardi, i «barboni» vanno a dormire nei cartoni che si portano dietro nella Corsia dei Servi.

I clandestini invece hanno trasformato in dormitorio l'ex stabilimento Richard-Ginori. Nessuno, neppure la polizia, andrà a disturbare. Ci sono sotto la Madonnina 145.000 extracomunitari: in testa i filippini, poi gli egiziani e i marocchini. Su cento bambini che nascono, 14 non sono italiani. C'è una citazione di Pietro Verri che mi sembra meritevole di qualche considerazione: «Milano è un paese dove chi ha testa cerca di comandare o se ne va».

Lo avevano capito benissimo i due editori a cui debbo di più: Arnoldo Mondadori e Angelo Rizzoli, uno che ricordava l'infanzia in una povera casa dal tetto cadente, l'altro cresciuto nel collegio degli orfani, i «Martinitt»: «Non ero infelice» ricordava «perché là dentro eravamo tutti uguali».

Ho chiesto al cardinale Martini se è vero, come diceva una commedia, che «siamo tutti milanesi». Ha risposto:

«Io incontro tante persone che vengono qui per motivi di studio o di lavoro, d'impegno

Ritratto di cardinale

È molto alto, un po' piegato su se stesso, affabile, i modi assai misurati: ma senti che c'è in lui qualcosa di diverso, e di più. La fermezza, ad esempio, e una visione che gli fa accettare il dolore, perché poi verrà la pace. Il gusto di una solitudine che è ricerca delle vere ragioni. Un'esistenza che ti fa venire in mente certi santi eremiti che si chiudevano nel buio e nel silenzio di una grotta, per sentire meglio la voce del cielo; e ammansivano le belve. Qui, in questo studio dalle pareti ricoperte di legno e di libri, non arriva il rumore della strada, due quadri riproducono volti ispirati che sicuramente hanno il nome nel calendario, e la conversazione, senza impaccio, tocca argomenti piuttosto insoliti. Quando mai ci occupiamo della nostra anima?

Può predicare anche in francese e in inglese, conversa in tedesco, capisce il portoghese, lo spagnolo, il greco moderno, legge l'ebraico, il copto, l'amarico, il siriaco, l'arabo – oltre alle lingue classiche, si capisce –, è considerato il massimo esperto di cultura biblica.

Parla dei suoi parenti con tenerezza, li ha lasciati dopo la licenza liceale, per far voto di castità, di povertà e di obbedienza, al papa in particolare; lo descrivono come uno studente ordinato, preciso, intelligentissimo, uno sportivo che si esibiva anche in teatro: fu Thomas Becket nella poetica rappresentazione di Eliot; forse un annuncio. Un giorno anche lui avrebbe portato la mitria. Non ci sono molti aneddoti nella sua avventura, perché i contrasti, o le lotte, si svolgono nel segreto delle coscienze.

politico, civile, militare, e mi dicono che dopo pochi mesi sono a loro agio. Non è chiusa, non è elitaria. Il gran cuore di Milano è una realtà, che talvolta viene un po' sommersa dall'ansia del lavoro, del guadagno, però rimane sotto sotto, c'è ed esplode ogni tanto con grande beneficio per la città.»

– Qual è il peccato più grave della nostra società?

«La mancanza di speranza e quindi la paura del futuro.

«Ad esempio: la poca gioia nel dare la vita.»

– E la colpa che, secondo lei, eminenza, merita più indulgenza?

«Direi piuttosto perdono, perché suppone un pentimento.

«Ciò che merita più comprensione per me è il nervosismo della gente, che è stressata, che spesso è di malumore perché ci sono tanti motivi, perché la vita è pesante. Per me oggi i cattivi sono soprattutto quelli che giustificano il male. I più infelici? Quelli che non sanno guardare al domani.»

– Eminenza, cos'è la felicità per un cristiano?

«È già scritto nel Vangelo: felici i poveri di spirito, felici i miti, i misericordiosi, felici gli operatori di pace.»

Di pace, non di Borsa: la vedova diede a Gesù un *danée*. Uno solo.

Come l'hanno vista

Impressioni di viaggio

La Porta Rasa [Porta Tosa oggi Porta Vittoria], *a Milano, è chiamata così perché durante un assedio, mentre i nemici si preparavano a dare l'assalto, una ragazza si mise tutta nuda sulle mura e si rase la f... .*

Ciò attirò l'attenzione degli assedianti e diede il tempo di fare una sortita che liberò la città.

MONTESQUIEU

Esco ora dalla Scala. Parola d'onore, [...] è per me il primo teatro del mondo. [...] Non una lampada in sala; la illumina solo la luce riflessa dalle scene.

Per quanto riguarda l'architettura, è impossibile immaginare nulla di più grande, di più magnifico, di più solenne e nuovo.

STENDHAL

Andammo a San Siro in una carrozza scoperta. Era una bella giornata e attraversammo il Parco e seguimmo il tranvai e poi fuori della città dove la strada era polverosa.

C'erano ville con le cancellate di ferro e grandi giardini traboccanti di vegetazione, e fossi con l'acqua corrente e orti verdi con la polvere sulle foglie.

Attraverso la pianura si vedevano le fattorie e le fertili tenu-te verdi coi loro canali d'irrigazione e le montagne a nord.

ERNEST HEMINGWAY

Visita a Musocco

I tram che portano a Musocco sono vecchi e malconci, stre-pitano e si divincolano sulle rotaie, scrollando i viaggiatori co-me per assicurarsi che siano ben vivi. Io ne discendo un po' stordito, indugio sul piazzale a guardare i negozi dei marmisti, che espongono lapidi in bianco, pronte ad accogliere qualsiasi elenco di virtù, e sculture raffiguranti angeli, o il Salvatore, o lo stesso trapassato, desunto in tre dimensioni da fotografie. Sul piazzale si acquistano crisantemi e lumini; poi si varca il cancello e si noleggia un secchio per cambiare l'acqua nei por-tafiori; ci si avvia infine verso i morti che aspettano, di mia madre so che sollevava improvvisamente il capo dai suoi eterni rammendi e diceva: «Peppino sarà qui fra poco» senza mai sbagliarsi.

GIUSEPPE MAROTTA

Crudeltà

In piazza della Scala, un po' di bestialità pura allo scoperto: il più miserabile di una banda sta prendendo a calci, tra gli sghignazzamenti, un povero piccione che non riesce più a vola-re, a ogni colpo di piede perde qualche penna, e vederle spargersi aumenta l'ilarità di quei degni di forca. Quando si è finalmente allontanata, scopro il piccione zoppicante che cammina radendo il muro, cauto, desideroso di non essere visto, in cerca di un luo-go dove morire senza più la vista nauseante dell'uomo.

GUIDO CERONETTI

III
Venezia
e dintorni

«... le stranezze della città sono abbastanza note. Il signor de Montaigne asseriva d'averla trovata diversa da quanto se l'era immaginata, e un po' meno mirabile.»

MICHEL DE MONTAIGNE

«Eccolo ancora una volta davanti a lui, l'approdo indescrivibile, l'abbagliante insieme di fantastiche costruzioni che la Serenissima offriva allo sguardo ammirato del navigatore in arrivo.»

THOMAS MANN

«No sofri compagnia, né amor né signoria.»

DETTO POPOLARE

Ha ragione il poeta russo Josif Brodskij: «Non c'è miglior fondale per un'estasi». È la città del viaggio di nozze, delle prose orgiasticamente sensuali di d'Annunzio, dei turbamenti del severo Thomas Mann. Mi raccontò Katia, la vedova, l'incontro che gli ispirò la figura del vezzoso Tadzio, il protagonista di *Morte a Venezia*. Lo intravide all'Hôtel des Bains, ed «ebbe un *faible* per quel ragazzo che lo aveva letteralmente affascinato, e ci pensava molto spesso».

E tra canali, suono di campane, altarini di santi, calli e campielli, quelli delle commedie di Goldoni e delle avventure di Casanova, Mann prova il tormento inconsueto e amoroso del vecchio Aschenbach. Disse allora: «Sto scrivendo una storia molto strana. Si potrebbe credere... ma non è».

È qui che Casanova inizia la carriera di libertino, comincia con un furtivo incontro con una monaca, e ricorda che accarezzò «i più bei globi del mondo», e non c'è viaggiatore che non sia coinvolto dagli incanti della laguna. Montaigne annotava, a suo tempo, che Venezia era assediata dalle puttane che sono «utilissime perché fanno spender denari ai giovani del paese e fanno guadagnare i mercanti».

Casanova umiliato

Quando il bagnino delle spiagge adriatiche si avvicina alla Fräulein e l'invita a vedere l'eclissi dietro i capanni, la risposta arriva monotona e ineluttabile: «Tu Casanova, tu bandito dell'amore».

Quando il giovane scrittore Maksim Gor'kij va a trovare il vecchio Lev Tolstoj e il discorso cade sugli italiani, il giudizio del creatore di *Anna Karenina* è sprezzante: gentaglia che mette al mondo e manda in giro soprattutto tipacci come Cagliostro e Casanova.

Ciarlatano, mago, istrione, falso cavaliere di Seingalt, l'avventuriero veneziano è sempre, in un certo senso, il simbolo del grande amatore: un connazionale da esportazione ma, secondo la testimonianza del principe di Ligne, era brutto – però evidentemente piaceva.

Secondo il conto degli esperti devono essere annoverate al suo attivo 116 conquiste, ma avrebbe raggiunto, quanto a rapporti, quota 3000. Umiliato addirittura da un belga, il romanziere Georges Simenon: ha dalla sua 500 opere e ha fatto l'amore con 10.000 donne, 6000 erano «professioniste».

Significa che c'è sempre stato del traffico amoroso, e si narra ancora delle cortigiane che intrattenevano piacevolmente nobili, poeti e artisti, e che non avevano niente a che spartire con la «donna pubblica» del Medioevo o con le volgari meretrici.

Componevano sonetti, cantavano, suonavano anche il liuto, e la tariffa era la stessa, sia che si consumasse sia che ci si limitasse al dialogo.

Avevano anche bei nomi: Imperia, Lucrezia, Isabella, ed erano lascive e devote: andavano ai vespri e rispettavano i digiuni, curavano la persona con belletti, creme, e bagnavano i capelli con cenere di vite e paglia d'orzo per ottenere il bel biondo veneziano.

Chi aveva quattrini organizzava, come si legge nei diari di allora, «festin con baldracche somptuose», e pare che l'aria salsa della laguna incoraggiasse quelle iniziative.

Per i forestieri si stampava un catalogo con i nomi, gli indirizzi delle disponibili dame, e c'è Cornelia Grandera, «dona maridà», che si accontentava di scudi 4, «Lucietta cul streto», che sta a santo Isepo, e che è soddisfatta anche con 3, e la non esosa Chiarella Padovana, al Ponte dell'Aseo, «batter alla porta, parlar a so mare, dar quello che se vol».

Le signorine sanno quanto valgono e quello che desiderano, e alcuni versi celebrano i meriti di una giovinetta di Ferrara: «Io sono quella famosa ferrarese / che porto el vanto, lo scettro e l'honore / di bella pompa, gentile e cortese».

Dire Venezia vuol dire piazza San Marco: anzi, la basilica che, come scriveva Stendhal, è la prima moschea che si incontra andando verso Oriente. Le cupole di stile bizantino, i mosaici della facciata, il pavimento fantastico, gli ori, le colonne e i capitelli, che i marittimi della Serenissima rubarono ai templi pagani che incontravano sulle loro rotte per portarli in laguna, creano questa singolare suggestione.

Nata come cappella dogale, la chiesa diventò

col tempo l'anima e il simbolo della Repubblica; era davanti al suo altare che i «capitani de mar» e i generali che guidavano l'esercito ricevevano le insegne del comando, e lì veniva presentato al popolo il supremo reggitore: «Questo xe missier lo doxe, se ve piase».

Le fondazioni di San Marco sono già di per sé un prodigio: migliaia di pali lunghi 60 centimetri che reggono un pavimento di tavole, e da più di 900 anni.

Ma a ogni secolo che passa la splendida costruzione si abbassa di 15 centimetri, e negli ultimi tempi ancora di più, per gli squilibri creati dall'estrazione di metano, dai pozzi artesiani, dal gioco delle correnti: con l'«acqua alta» anche la piazza viene invasa, e per il traffico dei pedoni si ricorre alle passerelle.

Questo è il punto di riferimento o di incontro per i cittadini e per i turisti che davanti al tempio eretto in onore dell'evangelista patrono della città, le cui reliquie trafugate da scorridori del mare ad Alessandria d'Egitto si conservano sotto la Pala d'oro (ma c'è chi ne dubita), si immergono in una inconfondibile atmosfera.

Venezia ha un suo ritmo da sempre: e bisogna scoprirlo passeggiando per le viuzze o girando per i canali, meglio su una barca silenziosa.

Bellissimo è arrivarci seguendo l'itinerario dei mercanti, che tornavano finalmente a casa rasentando gli isolotti, e portando sete, tessuti e cose sconosciute e preziose.

Poi, la sosta nei caffè famosi, il Quadri o il Florian: accogliente e intimo anche d'inverno, con i suoi sedili di velluto cremisi, che nelle sue salette ospitali, dal Settecento a oggi, ha visto passare

Il veneto Hemingway

Gli piacevano le giornate d'autunno, gli piaceva il Veneto: non la Romagna, ad esempio. «Nessuno desidererebbe viverci,» spiegava «ma essere nati lì serve parecchio.»

Gli piaceva la nebbia, la caccia alle anatre, il mercato del pesce, qualcosa che brucia nel caminetto, i grandi bicchieri di Martini Dry.

Gli piacevano il Tagliamento e la laguna, l'odore di legno marcito, la campagna battuta dallo scirocco. Gli piacevano i cavallerizzi del circo, i barmen, i toreri, le ballerine, i pugili. Gli piacevano anche i soldati.

Gli piaceva scrivere: «Io devo scrivere sia che mi paghino o no. Ma è una malattia questa fin dalla nascita. Mi piace farlo. Il che è anche peggio. Il che trasforma la malattia in un vizio. Uno scrittore è come uno zingaro. Non deve fedeltà a nessun governo. La sua mano dovrebbe essere contro il governo, e la mano del governo sarà sempre contro di lui».

Gli piaceva bere: Valpolicella, Gordon Gin, whisky; scrive alla sua amica Fernanda Pivano: «Mi piace far l'amore, combattere, bere, leggere, peccare, cacciare, scrivere».

Tommaseo, Foscolo, Goethe, Madame de Staël e Thomas Mann e Hemingway, che preferiva però gli incanti di Torcello e la quiete della famosa locanda, che accoglie pochi clienti privilegiati.

Il Florian, quando aprì i battenti, si chiamava «Alla Venezia trionfante», ma un centinaio d'anni fa venne rifatto e ogni sala ebbe un nome famoso: c'è quella delle Scienze e quella delle Stagioni, quella degli Uomini illustri: e davanti alle vetrate sfila la vita.

Ed è sulla piazza che, per carnevale, gli Arlecchini, gli Stenterelli e le Rosaure arrivano da tanti campielli, e si balla tra le Procuratie, e Venezia diventa un grande palcoscenico e la gente si veste nelle fogge più strane e colorite, il volto reso misterioso dalla bautta, la mascherina di seta o di velluto, che nasconde la parte superiore del volto. Casanova è in agguato. Ma forse aveva ragione Guido Piovene: Venezia è «troppo carica di letteratura».

Tutto è morbido da queste parti: la lingua e il tempo che scorre senza sussulti, e anche la fede: sempre Piovene parla di un «cattolicesimo accomodante».

Non è fragile il carattere dei veneziani, li affascinano l'avventura, le scoperte e «i schei».

Mollano le fragili gondole e partono con uno scopo: gli affari. Ovunque c'è un loro fondaco: un magazzino, una bottega, dove alloggiano e smerciano.

Niccolò Polo si mette in viaggio per raggiungere Cambaluc, che oggi si chiama Pechino: alla ricerca di pietre rare e pregiate. Quante meraviglie; in Armenia c'è una sorgente di oro nero: è il petrolio. Nella regione dell'Altai ci sono sassi che bruciano: è il carbon fossile. E appare uno strano animale mai visto prima: è il rinoceronte. Marco Polo, il figlio che ha appena diciassette anni, impara anche il cinese: sapeva già un po' di latino, di greco e di turco. Quando la spedizione ritorna è accolta «con grandissimi onori e reverenze».

Ed è nel Veneto dei nostri tempi che poi si impongono altri geniali e munifici personaggi come Gaetano Marzotto che, raccontò Montanelli, si addolorava perché l'autista aveva travolto una rondine o il senatore Cini, uno degli incontri più affascinanti che ho fatto nel mio mestiere.

Spiegò a Gianni Agnelli che compiva sessant'anni: «Stai vivendo un momento meraviglioso: se una donna ti dice di sì non ti sgomenta, se ti dice di no non ti addolora». Seppe dire di no anche a Mussolini. Perse l'unico figlio maschio in un incidente: e trasformò il dolore in carità.

Ci sono anche i concittadini che si sono fatti onore lontano da casa: Amedeo Obici, il re delle noccioline in America, e Geremia Lunardelli è quello del caffè, nientemeno a San Paolo del Brasile.

Risultato dell'emigrazione, che spinse tanti poveri che avevano come sola risorsa la testa e il coraggio ad andare per il mondo a cercar fortuna.

Ed è dai parroci veneti, oltre 2000 pievi, che escono due pontefici: Pio X e papa Luciani. Dal patriarcato di Venezia sarebbe venuto un altro famoso papa, Giovanni XXIII.

Le mele di un futuro papa

Raccontano che Giovanni XXIII, quando era nunzio apostolico a Parigi, prese parte a un banchetto mondano. Aveva accanto a sé una signora piuttosto scollacciata.

Alla fine della cena, con molta amabilità, e con qualche ironia, le porse una mela sorridendo: «Anche Eva» disse «dopo averla mangiata si ricoprì».

E la Chiesa ha peso anche nella politica: dominava la Democrazia cristiana, che poi in molti posti ha dovuto cedere il passo alla Liga.

Ma negli ultimi dieci anni Venezia si è svuotata: 4000 nascite di fronte a quasi 12.000 decessi, 15.000 nuovi abitanti, ma 21.000 sono quelli che se ne sono andati.

Ho avuto il piacere di conversare con una davvero nobile donna, Teresa Foscari Foscolo. Che nomi. Qualcuno, per il suo spirito indipendente, per gli atteggiamenti coraggiosi, l'ha battezzata «la contessa rossa».

Nel salotto non c'è mobile od oggetto fuori di posto, nulla di eccessivo. Tutto è vissuto e composto; dal giardino arrivano umidi profumi.

«Portare il nome di mio marito, come il mio da ragazza, è avere il senso della storia. Ma io non sono adatta a parlare degli antenati; per questi argomenti ci sono degli studiosi bravissimi. Cozzi, Benzoni. Il passato è dentro il cuore della gente. Non si celebra. Il resto è folclore, ed è quello che detesto di più nei discorsi su Venezia. Da che cosa nasce il suo fascino? Dalla sua singolarità. Un piccolo Stato dove nessuna carica è ereditaria. È l'unico posto che non ha conosciuto il feudalesimo. Non esiste la giustizia del signore, ma un tribunale di primo e di secondo grado. E qui, davanti a San Marco, fanno la pace due potenze terribili: papa Alessandro III e Barbarossa.

«Quando nel 1450 Venezia allarga il potere

a tutto il Veneto, le città sono molto contente. Tante persone hanno continuato a dire, anche fino a giorni recenti: "Per me, nato sotto la dominante...". Era un desiderio di far parte di quelli nati in acqua invece che nati in terra.»

Spiega la contessa Foscari:

«È cambiata completamente la società e la famiglia non è più patriarcale. Il benessere raggiunto fa sì che nessuno abiti più i piani terreni. Ogni coppia vuole la sua abitazione. Le amministrazioni del dopoguerra hanno costruito alloggi a Mestre e non hanno curato il restauro dell'architettura minore, che è fondamentale nel tessuto della città. Perché lei qui esce da un palazzo e vede la casa piccola. Hanno sempre convissuto. Non è mai esistito un popolo che si è rivoltato contro i cosiddetti signori. Ed è sempre stata rispettata la divisione tra potere ecclesiastico e Stato. San Pietro di Castello, dove c'era una volta la cattedrale, il Patriarcato, è l'unica isola non legata a Venezia da un ponte.

«A parte che Galileo insegnava tranquillamente a Padova, e ha avuto la malaugurata idea di andare a Roma. E mi pare si chiamasse Spallanzani quello che studiava già i cadaveri con il sangue arterioso o venoso. L'Inquisizione ha sfiorato la città.

«Ma che cosa resterà? Resterà quest'architettura straordinaria, resterà la storia: ma chi si occuperà di studiarla? Resterà il folclore. Ci saranno le gondole che fanno la serenata, ma non van-

no i traghetti per i cittadini. Perché questi gondolieri sono un monopolio. Idem per i motoscafi.
Diventerà un documento dei tempi andati.»

È vero che Venezia è «una città che va a piedi».
Ma si cammina tra edifici degradati. «Un terzo della
popolazione» spiega Massimo Cacciari, il filosofo che
è diventato sindaco «nel dopoguerra se n'è andato.
Le case che costruivano in terraferma erano più con-
venienti, costavano meno ed erano anche più sane.»

Il professor Cacciari è un giovane uomo barbu-
to, dall'aria severa e anche ironica: fu lui che disse
no all'invito di De Michelis di aggregarsi ai socialisti vincenti, con una battuta: «Sono già ricco di famiglia».
Gli chiedo perché la Liga ha tanti simpatizzanti:

«Non a Venezia, direi. La causa fondamentale, nella regione, è la grande contraddizione
tra uno sviluppo economico rapido, impetuoso,
poco fondato culturalmente, e l'assetto della
pubblica amministrazione, pachidermico, len-
to, troppo burocratizzato.»
– Ma Roma cosa potrebbe fare per voi?
«Le riforme.»
– E voi, cosa potete fare per Roma?
«Vicenza esporta come tutto il settore mani-
fatturiero della Grecia. L'Alto Adriatico è il ba-
cino turistico più importante d'Europa; questa
cosuccia che è Venezia; qualche altra cittadina
come Vicenza, Padova; qualche Giotto, qualche

Palladio, eccetera. Noi conserviamo questo patrimonio per il Paese, per il mondo. Però è necessario che a Roma si comprenda questo bisogno di autonomia: non possiamo più attendere.»

Gli ricordo che se a Napoli il prefetto riceveva i contrabbandieri di sigarette, a Venezia sono tollerati guide, motoscafisti, servi di piazza che, come nelle commedie, vanno all'assalto dei visitatori. Lo ammette: «Sono tollerati: ci sono. Fanno parte dell'economia sommersa».

Nel suo programma c'è la riqualificazione di Marghera, con pieno rispetto per l'iniziativa di Volpi, coraggiosa in quel tempo, perché dice:

«Venezia è una città incompatibile con il moderno: è una città della ricerca, della cultura. Abbiamo strutture universitarie che ospitano, bene o male, 25.000 studenti. Credo che avrà un grande futuro se cesserà di pensare a se stessa come luogo della decadenza, quando può diventare il posto dell'innovazione.»

Nella terra di sant'Antonio da Padova, c'è un nuovo prodigio: il miracolo economico del Nord Est. Dove l'aria sapeva di erba falciata, di letame, di muggiti, il rumore che domina è lo sferragliare delle macchine, dove la gente riempiva le valigie di fibra e i bauli di legno per emigrare, cercano manodopera.

Un mondo semplice e provinciale è finito. Non si parla neppure più il dialetto, ma l'italiano di certi programmi tv. Non so se c'è ancora in giro qualche compagnia teatrale, dopo i Giachetti, i Micheluzzi e i Cavalieri: formidabili, e non solo per il loro Goldoni.

I veneti non sono più «magna polenta» o addirittura «magna gati». Non c'è più la pellagra e la tubercolosi, che mietevano tra i «poareti» del Polesine, dove le stalle erano meglio delle case dei contadini. C'è il doppio lavoro: fabbrica e, dopo, orto.

Spiegava un'antica stampa satirica: «Descrizione del paese di cuccagna / dove chi manco lavora più guadagna». Non è così: guadagna chi ha delle idee. Chi c'è dietro la marca Diesel, abbigliamento? Il signor Renzo Rosso. Ho visto le sue vetrine a New York.

Racconta:

«È successo per caso. Ho frequentato un istituto medio superiore, dove ho imparato come funziona un'azienda di abbigliamento. Mi dedico ai giovani perché mi identifico con loro. Ho cinque figli: due sono già maggiorenni; facciamo tante cose insieme, anche sport.

«I ragazzi di oggi sono molto diversi da quelli di una volta. Più educati, sanno molto di più. E non c'è differenza tra loro: ecco, quello che nasce a Reggio Calabria è più sfortunato, fa più fatica a sistemarsi. E così succede nel resto del mondo: sentiamo le stesse musiche, vediamo gli stessi film. La mia affermazione? La attribuisco a quelli che lavorano con me. Ho la fortuna di poterli guidare, ed è con loro che siamo arrivati a questo traguardo.»

– Che cosa pensa che ci riservi il futuro?

«Avremo sempre prodotti che costano meno, e li faranno le multinazionali. Questo vuol dire eliminare i piccoli marchi e perdere un po' di fantasia.»

Giovanni Rana ha anche una popolarità televisiva: fa tortellini vicino a Verona ed è protagonista degli spot pubblicitari che illustrano la bontà dei suoi ripieni. Dice al consumatore: «Non chiederti che cosa c'è dentro, guarda che li mangio anch'io». Un'assicurazione.

Nasce fornaio, ma il suo sogno era diventare un campione delle biciclette: Coppi o Bartali.

Mi spiega la sua invenzione: «Ho cercato di accontentare tutti gli italiani». (Esercizio complicatissimo: osservazione personale.) Come ha fatto? «Quelli bolognesi sono un po' più piccanti, i modenesi hanno più noce moscata.»

Ha ancora tanti progetti, il suo motto è: «Dài». «Dài» perché è tardi, perché va bene, perché potrebbe andar male. Conclude: «Tutta la vita è sempre un dài».

Ho conosciuto Paolo Barbaro, un intellettuale, uno scrittore che è ritornato, dopo aver vissuto un po' dappertutto.

Come l'ha ritrovata, Venezia?

«Molto più vuota, eccetto che nei quartieri del centro. Quando sono partito aveva quasi 200.000 abitanti: siamo a 70.000. Mancano le persone e non ci sono più le piccole botteghe e anche i grandi negozi, i luoghi di riunione. Non c'è più la Fenice. Manca anche lo spirito, ma non del tutto l'anima. I giovani fuggono. È un processo che si verifica ovunque: Trieste è la città con più vecchi. I ragazzi hanno bisogno della macchina. Il mondo moderno bussa.

«Vivere a Venezia vuol dire, prima di tutto, avere pazienza con se stessi, abituarsi ad altre velocità. Sentire il proprio corpo che va e che non va, che è stanco o non lo è, come accadeva da giovani. Vuol dire anche incontrarsi casualmente per strada. È l'amore per il proprio nido: non fatto sulla roccia come Firenze, ma su pochi pali di rovere e su qualche tratto di sabbia. La nostra anima passa da quelle parti.»

Venezia sotto una perenne minaccia: la salsedine, le maree, i motori, lo scirocco, i troppi visitatori, gli sfoghi di Marghera: resistono 405 gondolieri, che hanno fatto un tirocinio per imparare, perché quella è una barca diversa da tutte le altre. Tariffa ogni cinquanta minuti: 120.000 lire. Ma bisogna sapere che se lo scafo è ben lavorato, con intarsi e dorature, costa anche 40 milioni. È stretta un metro e mezzo ed è lunga 11 metri, ha il fondale piatto ed è l'emblema della città. Una delle regole di chi rema, se c'è a bordo una coppia, è far finta di non vedere.

Ritratto di Trieste

Un grande poeta, Umberto Saba, così descrive la sua città: «Trieste ha una scontrosa / grazia. Se piace, / è come un ragazzaccio aspro e vorace, / con gli occhi azzurri e mani troppo grandi / per regalare un fiore; / come un amore / con gelosia».

La bora, il vento gelido e violento che cala, improvviso, dagli altipiani, frusta le strade e i vecchi edifici che volle Maria Teresa, quando di un borgo trascurato di pescatori e marinai fece il porto più importante del suo impero, un grande centro commerciale. Di quel passato che ebbe le sue glorie sopravvivono poche cose: qualche antico caffè, come quello degli Specchi, o il Tommaseo, e il culto dell'operetta, che in estate trova la sua celebrazione.

Trieste è sempre stata «un crocevia di culture» e un condensato di diversi gruppi etnici: oltre agli italiani, tedeschi, sloveni, altri slavi, ebrei, armeni e gente che arrivava dalle varie terre soggette a Vienna, e convivevano con tolleranza.

Immersa in uno scenario d'incomparabile bellezza, gaia e luminosa, mediterranea e nordica, la città non nasconde il suo piacere di vivere: a Trieste si mangia e si beve bene: ha i suoi vini, come il Refosco e il Terlano, e i suoi piatti, il prosciutto affumicato che si taglia a mano, lo «Stinko de vedel», lo stinco di vitello al forno, il capriolo, il gulash, e la jota, una minestra di crauti e fagioli; ci sono, attraenti, le passeggiate e le osterie del Carso; scriveva Scipio Slataper: «Il mio Carso è duro e buono. / Ogni filo d'erba ha spaccato / la roccia dura per spuntare / ogni fiore ha ricevuto / l'arsura per aprirsi».

Ho chiesto al signor Luciano Marodé, un metalmeccanico in pensione, che cosa vuol dire vivere a Venezia: «Il turismo, ha le sue colpe: è spaventosamente cara e i "foresti" ci tolgono qualche libertà: molto spesso non riesco neppure a camminare. Nelle grandi occasioni sei prigioniero di una situazione che tu non vuoi, ma ormai è così».

Un nome di Venezia è «La Serenissima». Ma ci fu qualcuno che la voleva liberare: otto poveracci di un «commando» che, ispirati dalle balle che raccontano gli onorevoli Bossi, Maroni e Pagliarini,

---

La farsa regna a Venezia

Nei titoli dei giornali sono chiamati «Serenissimi». Tre volte, come certi buoni, direi. Sono gli intrepidi che salirono, in nome dell'indipendenza, sul campanile di San Marco per far sventolare la bandiera della libertà.

Giustamente Umberto Bossi ha commentato: «Non sono dei delinquenti», ma dei candidi eroi che hanno creduto ai suoi messaggi irredentistici e hanno deviato un vaporetto per poter effettuare il leggendario sbarco.

Brava gente, credo, padri di famiglia integerrimi, lavoratori esemplari. Che travestirono un trattore da carro armato, senza sapere che non andavano incontro al nemico ma ad alcuni anni di galera.

Quando sono stati dentro il carcere, hanno potuto consolarsi rileggendo il messaggio di Maroni: «Tranquilli, ragazzi, non appena arriverà la Padania sarete liberati con tutti gli onori».

---

occuparono arditamente il campanile di San Marco. Quando decisero di scendere trovarono i carabinieri che non erano ancora stati informati che c'è la Padania. Gli insorti avevano l'autoblindo fatta in casa e la grappa fatta dai contadini: il Veneto può essere anche arrabbiato, ma dopo l'orario di lavoro. Di sicuro non è l'Ulster e neppure la Catalogna.

Dicevano i suoi alpini, quando erano sul Don: «Sergentmagiù, ghe rivarem a baita?». Mario Rigoni Stern è tornato ad Asiago, e si è portato dietro tanti ricordi: di fame, di gelo, di morte. Il suo libro – *Il sergente nella neve* – per me è come le *Noterelle* di Abba, quello che andò dietro a Garibaldi in Sicilia. Non raccontò, per la verità, proprio tutto. Nino Bixio non pronunciò solo frasi fatte per i manuali scolastici, ma a un prete servile che gli diceva: «Baciamo le mani», rispose: «I coglioni».

È l'umanità di Mario Rigoni Stern che conquista: entra in un'isba a cercar cibo e da una botola escono bambini con le mani alzate che piangono. Li manda a casa e dopo poco tornano portando patate bollite.

Parliamo di oggi, dei veneti:

«Stanno scoprendo i soldi,» dice «"i schei"; «prima ne avevano pochi, e adesso forse non li usano bene. Ma non ha nessun senso discutere di secessione; qui parlano i luoghi e le tante migliaia di soldati italiani che sono venuti a morire su questi monti nel '15-18. Sono chiacchiere dei meno acculturati.

«È cambiata la vita anche da queste parti: i boschi hanno occupato le terre che una volta erano adibite a seminativi e a pascoli. Non ci sono più le due o tre vacche che possedeva ogni famiglia, ma stalle con quaranta o cinquanta capi di bestiame.

«L'industria turistica ha avuto il suo peso, e così la televisione e i giornali.

«I giovani hanno tanto di più, ma anche moltissimo di meno. Più denaro in tasca, più possibilità di frequentare le scuole. Esistono anche le superiori, nella mia giovinezza non c'erano. Ma, credo, hanno anche troppa fretta di crescere. Si trovano vecchi prima del tempo.

«Nelle malghe c'è il telefono, con la segreteria, e il fuoristrada per scendere in paese quando vogliono. Va bene, perché la montagna abbandonata diventa selvatica».

Ultima domanda: che cosa rimarrà della nostra generazione?

«Spero la memoria storica. Perché ti ricordi quello che scriveva Primo Levi? "Le cose che si dimenticano potrebbero ritornare".»

Come l'hanno vista

I marmi di San Marco

Un architetto bramoso di mostrare il proprio valore e non-curante dell'opera altrui avrebbe certamente [...] segato gli antichi marmi in frammenti per evitare qualsiasi contrasto tra le antiche sculture e i suoi disegni. Ma un architetto geloso di conservare un'opera nobile e desideroso più della bellezza dell'edificio da costruire che della propria fama avrebbe fatto quello che gli antichi artefici di San Marco hanno fatto per noi, conservandoci ogni reliquia affidata loro.

JOHN RUSKIN

Un adagio popolare

Veneziani, gran signori;
Padovani, gran dottori;
Veronesi, tutti matti;
Vicentini, magna gatti...

da «Litania notturna a Venezia»

O Dieu, purifiez nos cœurs!
Purifiez nos cœurs!

Sì, la mia sorte hai tratto

> in luoghi ameni,
> E la bellezza di questa tua Venezia
> m'hai tu mostrata
> E la sua grazia è divenuta per me
> una cosa di lacrime.
>
> O Dio, quale grande bontà
> abbiamo compiuta in passato
> e scordata,
> Da donare a noi questa meraviglia,
> O Dio delle acque?
> O Dio della notte,
> quale grande dolore
> Ci attende,
> da compensarci così
> Innanzi tempo?

EZRA POUND

Distruggiamola!

Ripudiamo la Venezia dei forestieri, mercato di antiquari falsificatori, calamita dello snobismo e dell'imbecillità universale, letto sfondato da carovane di amanti, semicupio ingemmato per cortigiane cosmopolite, cloaca massima del passatismo.

F.T. MARINETTI

IV
Emilia
e Romagna
(Una terra di generosissimi matti)

«A Bologna, ogni giorno, mi portavano per il pranzo qualcosa come 15 o 20 bottiglie di vino.»

MONTESQUIEU

«O deserta bellezza di Ferrara,
ti loderò come si loda il volto
di colei che sul nostro cuor s'inclina
per aver pace di sue felicità lontane...»

GABRIELE D'ANNUNZIO

«Chi é cuntànt, al louv al le magna.»

DETTO POPOLARE

Mi emoziono sempre quando, correndo sull'autostrada verso Bologna, vedo spuntare sul colle il santuario della Madonna di San Luca.

Ritornano giorni lontani: per fargli rispettare il precetto pasquale, la comunione almeno una volta l'anno, mia madre costringeva anche il babbo a un pellegrinaggio. Bisognava salire la lunga fila dei gradini e, dopo il sacramento, c'era il caffellatte con la ciambella: era finito il digiuno.

Quell'odore, la fumata del vapore della macchina dell'espresso, lo risento, la rivedo ancora. E poi le gite con le ragazze di una casa chiusa, noi via dalla scuola, loro dal lavoro, vestite proprio da signorine perbene, inebriate dall'aria, dal sole, e inginocchiate e composte a pregare la Vergine. Noi le guardavamo, parevano estasiate, ma i nostri pensieri erano meno puri.

Una volta, con il Circolo San Gabriele dell'Addolorata, salii sulla collina per un ritiro spirituale. Tre giorni di silenzio, di lettura e di meditazione. Lessi perfino la vita del cardinale Bellarmino, e nella mia memoria è un tipo di santo poco cordiale.

Era la stagione della giovinezza, con molti turbamenti: ma quell'esperienza mi ha lasciato dentro un senso di soave serenità. Qualcosa di breve, di so-

Bologna, la «umana»

Bologna è stata chiamata in tanti modi: la dotta, per via dell'università, la grassa, per la cucina, la galante, perché ci si trovarono bene tutti i viaggiatori, come Boccaccio, o il dissoluto marchese de Sade, e gli studenti che vi arrivano da ogni parte; io preferirei: la umana, per la sua gente, laboriosa e tollerante, epicurea e devota della Beata Vergine di San Luca. «Bologna è bella» scriveva Giosue Carducci. «Gli italiani non la ammirano quanto merita: ardita, fantastica nella sua architettura trecentesca e quattrocentesca.» Con i suoi edifici rossi, con i 45 chilometri di portici costruiti per la comodità degli uomini, per proteggerli dalla pioggia e dal sole, per permettergli di camminare e discutere. San Petronio, si legge nei manuali, «è una delle più alte creazioni dell'architettura gotica in Italia».

Davanti alla gradinata, di solito, preparano i palchi. Ce ne è quasi sempre uno. Bologna è tollerante e ama ascoltare anche quelli che la pensano a modo loro.

È molto cambiata, ma la sua leggenda resiste ancora: spariti i vecchi caffè, come il San Pietro, e parecchie osterie; il *Resto del Carlino* è finito ben oltre le mura, quasi in campagna; la squadra di calcio non fa più «tremare il mondo»; l'Arena del Sole, dove recitarono i grandi, da Zacconi a Petrolini, è ritornata finalmente teatro: il lunedì pomeriggio si dava uno spettacolo per i barbieri, le lavandaie, gli arrotini; rappresentavano *Amleto, La morte civile, Il processo dei veleni*.

Un altro mondo.

speso, ma un incanto. È vero che quegli anni sono stati «brevi come giorni».

Secondo le statistiche, Bologna è forse la città più felice d'Italia, dove si vive meglio.

E gran merito va riconosciuto alla gente. Che cosa ha di bello «la dotta», «la grassa»? Ha, ad esempio, più posti negli asili nido e meno bambini che muoiono. Ha il minor numero di iscritti nelle liste dei disoccupati e dei tossicodipendenti in cura e ha più quattrini in banca, dopo Milano. Per i servizi sociali si avvicina a Monaco di Baviera, mentre Enna e Avellino possono essere paragonate a Marrakech.

Purtroppo, avvertono gli studiosi di demografia, è probabile che tra cento anni non esistano più bolognesi autentici: colpa delle poche nascite e della crescente emigrazione. Anche se i viaggi degli spermatozoi non sono prevedibili.

Un autorevole testimone dell'antico benessere è Giacomo Casanova che a Bologna soggiorna ben tre volte: «Non c'è» scrive «un posto dove si goda di maggiore libertà e benessere». Anche i piaceri, che è un argomento che sempre lo impegna, «in nessuna altra parte si trovano così a buon mercato e così facilmente».

Poi passa a guardare la società: i borghesi appaiono «onesti e buoni, ma volgari», tra il popolino ci sono molti «birichini», che equivalgono più o meno ai lazzaroni, ma l'università «conta da sola tanti professori quanti se ne trovano in tutte le altre messe insieme».

È una folla di epicurei, ma che ha anche profondi stimoli ideali: è da queste parti che trovano ospitalità i primi anarchici e i primi socialisti (e anche il primo squadrismo), è qui che si riscattano i servi della gleba e nascono le prime cooperative e si tentano le possibili conciliazioni; anche Peppone e don Camillo, gli eroi di Guareschi, sono un compromesso, se non storico, narrativo.

Dicono che adesso anche la cucina, «la più famosa», scriveva Piovene, è in crisi: non sono più in grado di giudicare, perché vivo altrove, ma il Diana, per esempio, mi pare sempre una sicurezza. E mi dispiace che non ci siano più i fratelli Zurla al Pappagallo. Peccato.

Si legge nelle *Confessioni di un italiano*: «Si mangia più a Bologna in un anno che a Venezia in due, a Roma in tre, a Torino in cinque e a Genova in venti».

Ho un amico colto, che è nato a Modena e ha sposato una bolognese. Dopo lunghe consultazioni ha scoperto che un terzo degli italiani illustri sono venuti al mondo in Emilia Romagna. Dice, e forse un po' esagera, che noi siamo «il vero cervello di questo Paese». E fa anche dei nomi: da Torricelli a Galvani a Marconi a Verdi a Pizzetti a Toscanini, e poi Guido Guinizelli, Ludovico Ariosto, Pico della Mirandola e, se volete, aggiungo il cardinale Giuseppe Gaspare Mezzofanti. Sapeva tradurre 114 lingue e ne parlava correttamente 39.

Senza di noi, dunque, non si sarebbe combinato nulla di buono. E poi, completo, Antonioni e Fellini, e faccio presente che Dante e Carducci, che non ebbero la fortuna di nascere da queste parti, hanno voluto almeno venirci a morire.

Soltanto i milanesi sono convinti che, da Piacenza in giù, sia tutta Romagna. Non è esatto. Le

Quel seduttore di mister Toscanini

Enzo Biagi: – Il maestro, raccontano, ha avuto molte avventure.

Wally Toscanini: «Lo raccontano, ed è vero. Tante donne. Ed è stato infedele a tutte. Trafficava anche con due o tre per volta, e mia madre era gelosissima, inquieta, sospettosa. Ma è la sola che ha veramente amato. Nessuna è passata davanti alla sua idea della casa, del matrimonio, dei figli. Due volte ha dovuto decidere. Una famosa cantante americana gli impose di scegliere: "Se mi vuoi bene, come dici, vieni. Oppure tutto è finito". Finì e lei si sposò per dispetto. Poi hanno continuato a scriversi e lui dimenticava le lettere tra i libri, nelle tasche delle vestaglie.

«Quando la mamma si è ammalata gravemente, era affettuosissimo, pieno di tenerezza, e lei ancora più taciturna: "È stato sempre un bugiardo" sospirava. È morta, e lui era disperato, forse anche per il rimorso di averla fatta soffrire. Un gran civettone, un sentimentale.»

sfumature e le differenze sono già nelle cose, nelle idee o nelle parole: con dieci caselli di autostrada si passa dal grana al parmigiano, al reggiano, che non sono lo stesso formaggio; dagli anolini ai tortelli, ai tortellini, che presuppongono tre diverse ricette. Mutano il dialetto e l'architettura e se vi spingete fino al mare, per arrivare ai mosaici di Ravenna dovete attraversare il romanico di Modena, il gotico di Bologna e fare magari una breve sosta per ammirare ciò che il Rinascimento ha lasciato a

Ferrara, la città che mi sembra oggi culturalmente più viva.

Il cibo condiziona la vita e, come la galanteria, fa parte della tradizione. Racconta un classico, ser Giovanni Boccaccio: «Se voi sapeste quello che io ho fatto di notte a Bologna, quando andavo talvolta coi miei compagni alle femmine, voi vi meravigliereste». E lo scostumato de Sade conferma: «La bellezza delle fanciulle di questa città non mi permette di andare oltre senza essermene saziato».

Non è campanilismo, ma certe battute dei miei compaesani sull'argomento, io le trovo memorabili. Il concittadino anziano che era rimpatriato dall'America e aveva un'amante giovane ma accessibile, si consolava: «Meglio una torta in due che una merda da solo».

Il pittore Sgarzi, non più giovane, che annotava i cambiamenti suoi e del costume, confessò: «Una volta una erezione era un peccato, adesso è un miracolo».

E l'invenzione dei portici, che proteggono l'uomo dal sole e dalle intemperie. Sotto di loro è passata la storia, dal Mille in poi. Furono il primo rifugio dei *clerici vagantes*, gli studenti che arrivavano all'Università di Bologna da tutta l'Europa. Qualcuno dice che è una trovata per pagare meno tasse, perché il suolo protetto da 45 chilometri di arcate è considerato pubblico.

I romagnoli e gli emiliani amano la politica, i comizi e il melodramma: preciso, gli oratori e i cantanti. Se potessero, penso, diventerebbero matti anche per i toreri. Si scalmanano per l'eloquenza di un avvocato e per il fiato di un baritono. «Dài, parla ancora» gridò una volta il pubblico a Valdo Ma-

Tramontato il comunismo, che cosa è su-
ato?

Non è cambiato molto, il comunismo non
nto ideologico e non era quello dipinto da-
alisti o descritto dalle riviste internazionali.
mministrazione e sperimentazione pruden-
olte prudentissima. Quante volte ho detto:
dei conservatori. E la ricerca continua, per
di Dio, in una atmosfera internazionale
a, senza tensione, senza rotture, e quindi
na maggiore capacità di essere compresa.»
Di che cosa ha più bisogno il popolo ita-

i coerenza. Di non essere ogni giorno di-
da strane cose, di non rincorrere un ido-
ro l'altro, di badare ai fatti, di avere pa-
. E poi di una maggiore severità educati-
società italiana ha necessità di valori
di perché sono quelli che aprono la por-
solidarietà.»
Agnelli dice che non è deluso dell'Ulivo
non si era mai fatto delle illusioni.
gnelli, che è sempre grande, però più in-
a più è impaziente, diventa sempre più
e. Vorrebbe dei ritmi degli avvenimenti
n sono quelli della realtà. Lui stesso ha
to l'Italia che abbiamo ricevuto come
agedia, un disastro, e adesso vorrebbe
se tutta un cambiamento.
Ulivo è una pianta che cresce adagio, dà
adesso che abbiamo affrettato gli inne-
o quattro o cinque anni. È pacifico, è
esiste al caldo e al freddo, è sereno, dà
accolti: ma ci vuole tempo.»

gnani, comunista, alla fine di una assemblea. Concesse il bis. «*Trop curt*», troppo breve giudicarono il
Lohengrin, perché il protagonista era Aureliano Per-
tile.

Clamoroso fu il segno di stima che coronò una
sfibrante orazione dell'onorevole Cino Macrelli.
Nel delirio degli applausi vide avanzare dal fondo
della piazza un robusto individuo, seguace dell'i-
dea repubblicana, che trascinava verso il palco la riluttante e sbigottita consorte: «Cino, è tua, ma falle
fare un figlio che ti assomigli» gridò con slancio
l'ammiratore.

A Lugo sempre un propagandista dell'Edera, la
cui mamma era stata una fervente mazziniana e
una disinvolta amatrice, mentre stava rivolgendo al-
l'uditorio una rettorica e consueta domanda: «Chi
ha fatto l'Italia? La mente di Mazzini, la spada di
Garibaldi», fu interrotto da un obiettivo e informa-
to spettatore che volle precisare: «E le belle tette di
tua madre».

La Romagna è il paese dove tutte le leggende
vengono ricondotte a comprensibili dimensioni. Se
domandate all'operaio che fu intimo di Renato
Serra di quali argomenti preferisse parlare il finissi-
mo letterato, vi risponde: «Di donne». Se chiedete
a un bracciante perché ricorda ancora Nullo Baldini, il fondatore delle cooperative agricole, vi dice:
«Perché ci ha dato il pane e ci ha tirato fuori dai
casoni con il tetto di paglia».

Questo è anche il paese degli «originali». Lo
scrittore Antonio Beltramelli esibiva un cartello sulla porta dello studio: «Lasciatemi stare perché sono
cattivo».

Alfredo Panzini aveva fatto decorare il soffitto

della stanza da pranzo, nella villetta di Bellaria, invece che con i consueti pavoncelli o le esangui roselline, con una parola infinitamente ripetuta: «Stracci».

Voleva dire che quei muri erano stati costruiti con tanta fatica, molti articoli di giornale e pochi soldi.

Alfredo Oriani, che Mussolini aveva battezzato «il solitario del Cardello», diceva che non è vero che i romagnoli sono sinceri. Ma lui cercava di andare

---

Un romagnolo di nome Muti

Muti era soprattutto un soldato, per educazione e per temperamento lontanissimo dagli imbrogli, dai giochi sotterranei. Diceva di lui Galeazzo Ciano: «È degno di un guerriero dell'Alto Medioevo».

Non sapeva nascondere o mitigare le sue reazioni. Quando comandava la milizia portuaria a Trieste, dovette andare a ricevere un principe africano arrivato con uno yacht.

Il personaggio invitò Muti a bordo, gli fece grandi feste e, manifestando deplorevoli tendenze, si lasciò andare a confidenziali abbandoni ai quali Muti rispose con alcuni cazzotti. Ne nacquero complicazioni diplomatiche e Mussolini lo chiamò a rapporto. A conclusione di un severo «cicchetto» il duce gli rivolse un ammonimento: «Adoperate giudizio. Come mai a me queste cose non accadono?».

E Muti, senza scomporsi: «Me vo an si miga un bell'oman come me». Trovava naturali tanto i pugni, quanto le non gradite attenzioni.

– Quando un giorno lascerà Palazzo Chigi come ricomincerà la sua vita?

«Come ho lasciato l'Iri. Torno a insegnare e a scrivere. Sto con la mia famiglia. Spero che Nostro Signore ci tenga al mondo, e vado a Bologna. Non vado ad abitare a Roma. Non ci sono mai andato. Non ho casa, ma non perché non ho un buon rapporto con la città, che più ci stai e più la capisci, ma perché senti che veramente il tuo mondo è un altro, ti ha dato molto e ci stai bene.»

Poi c'è l'emiliano da esportazione: Luciano Pavarotti. L'ho incontrato in un albergo di Parigi: stavano preparando, con Carreras e Domingo, il concerto dei tre tenori. È considerato il Numero 1 al mondo, il più popolare, ha inciso praticamente tutto.

È in carriera da ormai trentacinque anni: ha battuto di tredici la leggenda Caruso. È stato più di trecento volte Rodolfo nella *Bohème*, anche se da qualche tempo ha difficoltà a trovare la gelida manina di Mimì.

Scherza sulla sua robustezza: pesa quanto un cetaceo e racconta che una volta che aveva bisogno di una lastra si dovette rivolgere a una clinica veterinaria. Dopo trentacinque anni di matrimonio e sette di fidanzamento si è separato da Adua, la moglie, dividendo un patrimonio che, secondo le indiscrezioni, sarebbe di qualche centinaio di miliardi: 500, insinuano. Dicono che vorrebbe congedarsi dal pubblico nel 2001 con *La forza del destino*; ho dei dubbi. Racconta:

«Nascere in Emilia vuol dire essere fortunati, perché è una terra alacre, ospitale dove, basta guardarmi, si mangia bene. [Le tagliatelle al ragù sono il suo piatto preferito.]

«Una volta, prima che ci fosse il cinema, c'era solo il teatro, con le operette, il melodramma e il varietà. Ci si divertiva così. E in più noi abbiamo avuto Verdi, e i ragazzini che assistono ai miei concerti, quelli misti, con il pop, vanno a casa cantando: "La donna è mobile"».

– Si sente l'Emilia in Verdi?

«Si sente l'Emilia, si sente il parmigiano.»

– Perché il tenore è sempre il protagonista dell'opera?

«Perché è l'eroe, è l'amante, è sempre quello desiderato dalla donna che di solito è insidiata dal baritono, che del resto fa quasi sempre una brutta fine, tranne nel *Trovatore* che finisce diversamente: muore Manrico e si ammazza Eleonora.

«Il personaggio che mi assomiglia di più? Forse il primo che ho interpretato la sera del mio debutto, 29 aprile 1961: Rodolfo della *Bohème*. Il più giovane, il più romantico, il più copiato dai cantautori, quello che mi ha incoraggiato a impegnarmi come cantante invece che come assicuratore o maestro elementare, che era quello che stavo facendo. Io adesso vivo a Montecarlo, ma tornare a Modena vuol dire respirare l'aria di casa: ci sono i miei genitori, vivi e vegeti, le mie figlie, mia sorella e mio nipote, e tanti, tanti amici.»

Ancora tre emiliani: Pupi Avati, Francesco Guccini, Ezio Raimondi, poi un romagnolo: Sergio Zavoli. Tutta gente che ha raccontato le storie di casa: cinema, canzoni, radio e Tv.

«Innanzitutto [dice Pupi Avati] io appartengo alla categoria dei bolognesi, ma con una grande nostalgia per i romagnoli. Nel senso che ho l'impressione che ci sia una differenza enorme, abissale, caratteriale nel Dna. Il bolognese ha una capacità esagerata di mediare tutto, ma non raggiunge l'essenza di qualche cosa, e non arriva all'assoluto.

«Il romagnolo tende sempre all'eccesso, è l'uomo delle grandissime passioni, dei grandissimi slanci e dei grandissimi errori, ma anche delle grandissime trovate. Quando andavo a Rimini d'estate provavo nei riguardi di questi esorbitanti personaggi una fortissima attrazione: che continua.

«Io vengo da una Bologna che ormai non c'è più. Essere nati tra quelle vecchie mura era una specie di passaporto, attraverso il quale si accedeva alle altre città: "Venga vicino a me, perché lei è simpatico, perché lei è bolognese".

«Vivevamo in realtà di una specie di rendita che ci derivava dai nostri nonni, perché in realtà non eravamo più né amabili né capaci di intrattenere o di sedurre. Circolavano certe leggende: una era che si poteva comperare una cravatta alle due di notte. Forse oggi è una delle poche città d'Europa dove è impossibile farlo.»

– I bolognesi sono sazi ed epicurei o hanno anche stimoli spirituali?

«Hanno tutto. Hanno creato una sorta di grande cocktail dentro il quale c'è l'etica, la solidarietà, l'edonismo. È una specie di morale *prêt-à-porter*, che funziona a tutti i livelli ed è stata esportata in tutto il Paese. È diventata il modello su cui si fonda, ormai, l'Italia. Da un certo punto ha smesso di sentire i vagiti dei Fellini e dei nuovi Antonioni. Qui si svolgono migliaia di congressi, di tavole rotonde, di fiere, di manifestazioni, ma nessuno produce nulla che lasci in qualche modo una traccia di sé.

«Mi piace [ha aggiunto (quasi una difesa) Pupi Avati] la macchina da presa, perché fa diventare falso ciò che è vero, fa diventare sogno la realtà.»

Di Francesco Guccini credo di essere parente alla lontana: avevo una nonna nata a Pavana, che si chiamava come lui, e sono venuto al mondo dall'altra parte del monte, sull'Appennino. Mi piacciono le sue canzoni e come scrive. È un narratore che si accompagna con la musica, e sono storie che sanno di domeniche con i vestiti della festa, di vino e di balli sull'aia, ma anche di politica, intesa come le ragioni della gente. Infatti ha scritto una canzone dal titolo esplicito: *Bologna carogna*. Perché?

«Perché l'emiliano è un falso bonaccione. Basta guardare la storia: faide, lotte fratricide. C'è l'aspetto cordiale, e anche c'è chi si mette nell'ombra e ti taglia le gambe.

«Io sono nato a Modena, ma sono cresciuto lassù, mi hanno portato che avevo pochi mesi, e ho ricevuto, come le famose oche di Lorenz, una specie di *imprinting* fondamentale: ho imparato a parlare, a camminare, a mangiare. Se penso al mio mestiere mi considero l'unico cantautore, per usare questa parola, non cittadino. Questo vuol dire avere un certo tipo di moralità, una visione del mondo. Da piccolo mi insegnavano a portare i pesi, perché portare i pesi è importante. Quando ogni estate torno, mi ritrovo veramente a casa.»

– Perché dalle nostre parti c'è tanta voglia di cantare: Guccini, Dalla, Morandi, Vasco Rossi?

«Ognuno di noi ha un piede nella civiltà contadina. Ogni famiglia aveva uno o due personaggi canori o che suonavano uno strumento. Facevano molte feste. Cantavano per sollevarsi dal lavoro dei campi e per divertirsi. Ognuno di noi, fin da piccolo, ha cominciato a cantare.»

Ho chiesto a un grande italianista, Ezio Raimondi, che siede sulla cattedra che fu di Carducci e di Pascoli, e per qualche mese anche di Papini, che influenza ha il cibo nel carattere del popolo, e se magari c'è qualche rapporto tra il mangiatore di fagioli del Carracci e le bottiglie metafisiche di Morandi.

«C'è [è la risposta] a patto che ci intendiamo: non parlando del cibo come di qualcosa di fastoso, ma come un senso di rapporto con la realtà, legato alla serietà della vita.»

– Perché l'ideologia ha trovato tanti seguaci tra noi, dagli anarchici al fascismo?

«Rileggevo in questi giorni, il *Viaggio in Italia* di Piovene: quando giunge alle pagine sull'Emilia, che sono anche piene di simpatia, parla di una specie di mentalità apocalittica, di una sorta di radicalismo che sarebbe al fondo della nostra natura.

«Uno potrebbe rispondere che è un modo per essere razionali in una forma appassionata. Quindi cercare di vedere qualche cosa e capirne, per quanto è possibile, tutte le conseguenze con una certa tenacia e una certa pazienza».

E adesso, per concludere chiariamo una volta per tutte: ma chi sono i romagnoli? Mi rivolgo a un amico di cui sono stato complice in varie imprese libresche, radiofoniche e televisive, Sergio Zavoli. Chi sono allora?

«I romagnoli sono una specie umana che – non capisco perché – hanno questa fama sconfinata di essere i migliori del mondo, quelli che amano più di tutti, che sono i più coraggiosi di tutti, che mangiano più di tutti, che all'occorrenza menano botte più di tutti. E, francamente, mi pare che questo cliché non corrisponda affatto alla loro vera natura che, invece, è molto più mite, molto più accomodante e molto più moderata, molto più avveduta. Non voglio dire astuta perché prenderebbe un profilo morale. In realtà sono persone che hanno il genio della vita e della sopravvivenza. E una regione molto avara di tutto e che è riuscita a diventare un punto di riferimento per masse di uomini, che la vedono come il centro dell'unica vacanza possibile. Il che, francamente, mi sembra esagerato a giudicare dall'offerta. Però capisco che dentro quella proposta c'è una bonomia, una cordialità, una capacità di dare, così, la botta sulla spalla, come si suol dire, che implica la confidenza, l'amicizia e il campare bene insieme.»

– Che differenza c'è con gli emiliani?

«Anche qui c'è quella piccola mitologia che passa attraverso l'immagine del Sillaro, che è un fiumiciattolo che attraversa Imola. Si vuole che chi, venendo dall'Emilia, entra in Romagna e chiede da bere riceva spontaneamente del vino, perché in Romagna il vino si chiama "e bè", il bere. Mentre chi fa viaggio inverso e dalla Romagna entra in Emilia e chiede da bere riceve, come in qualunque altra parte del mondo, un bicchiere d'acqua.»

«La vita» mi disse un anziano boscaiolo «è un affacciarsi alla finestra.» Raccontando qualcosa dell'Emilia ho anche inseguito un po' di me stesso: là sono nato, e là sono sepolti i miei vecchi. Non ha patria chi non ha un posto dove portare un fiore ai suoi morti.

Un piccolo camposanto, con un cancello arrugginito, e accompagna il lungo sonno il rumore del fiume e qualche volta il canto lugubre degli uccelli notturni.

Piacentini albergatori furfanti

Piacenza è la prima piazzaforte degli Stati di Parma. È una grande città spopolata. I suoi abitanti sono imbroglioni e devoti, come dappertutto in Italia. Vi si vedono alcuni bei palazzi, strade deserte e brutte piazze [...]

Il miglior albergo di Piacenza è il San Marco, *che è però nelle mani di furfanti matricolati. Tutti, perfino i domestici del luogo offerti agli stranieri per il loro servizio, si accordano con la gente della casa per derubarvi. Il mio consiglio è dunque di evitare questo posto di tagliagole, cosa facile se ci si fa dare alle porte della città il nome di un altro albergo.*

D.A.F. DE SADE

Goethe all'Alma Mater Studiorum

Mi sono recato anche nel celebre Istituto scientifico detto semplicemente Istituto, o gli Studi. L'ampio edificio, specie il cortile interno, ha un aspetto piuttosto severo, benché non sia dell'architettura migliore. Le scalinate e i corridoi non mancano di stucchi e di freschi; tutto ha un'aria di correttezza e di decenza, e non a torto si rimane stupiti di tante cose belle e notabili ivi accumulate. Un tedesco, assuefatto a un più libero metodo di studi, non vi si trova tuttavia perfettamente a suo agio.

Mi ritorna qui alla mente una mia vecchia osservazione: che,

*cioè, gli uomini, con l'andar del tempo che tutto trasforma, diffi-
cilmente si liberano dall'idea di ciò che una cosa è stata una volta, anche se il suo destino in seguito si sia mutato. Le chiese cri-
stiane continuano a mantener la forma di basilica, benché, per il
culto, la struttura del tempio sia forse più indicata. Così gli istituti scientifici hanno ancora l'aspetto dei conventi, perché in questi
luoghi austeri gli studi han trovato il loro primo rifugio.*

WOLFGANG GOETHE

Bologna, 20 ottobre [1786], sera

I portici della «Dotta»

*... Bologna offre un aspetto deserto e cupo, perché, in tutte
le sue vie, ha portici ad ambedue i lati. I portici dovrebbero stare da un lato solo come a Modena. Così sarà Parigi tra due secoli.*

STENDHAL

Un congedo carducciano

*Addio grassa Bologna! e voi di nera
Canape nel gran piano ondeggiamenti,
E voi pallidi in lunghe file a' venti
Pioppi animati da l'estiva sera!*

GIOSUE CARDUCCI

V
Le case dei poeti

«Piccola, ma adatta a me.»

LODOVICO ARIOSTO

«Silente scenografo, il tempo aveva radunato davanti agli occhi del Petrarca quegli edifici che parlavano al suo cuore commosso...»

CARLO EMILIO GADDA

«Niente è più bello della propria casa.»

DETTO POPOLARE

Dicono che gli scrittori è meglio leggerli che conoscerli. Forse è vero, ma a me è sempre piaciuto vedere le loro case e il mondo che le circonda: credo aiutino a capire meglio le storie che raccontano.

Da ragazzo, a Bologna, giocavo al pallone davanti al palazzotto dove viveva quello che nelle antologie scolastiche veniva definito «il fiero maremmano». C'era sulla porta una targa d'ottone con la scritta: «G. Carducci» e mi dicevano che arrivò lì il telegramma che annunciava al poeta il Premio Nobel. Lo lesse alla moglie e commentò: «Hai visto Elvira che non sono un cretino?».

Così a Dublino andai a ripercorrere con emozione gli itinerari di James Joyce: i suoi racconti han segnato un punto incancellabile della mia adolescenza. Ritrovai il *pub* dove il giovane James, «un po' dissoluto», assicura un suo critico, si faceva servire birra scura e *whiskey*, come dicono gli irlandesi.

Vidi l'albergo dove Nora, la donna della sua vita, faceva la cameriera, alla quale scriveva: «Vorrei che tu portassi sottovesti nere, vorrei che tu imparassi a piacermi, a provocare il mio desiderio...».

Andai a Odense, in Danimarca, nella via dei mulini, dove il figlio di un ciabattino, Hans Christian Andersen, giocò nel piccolo cortiletto, e cominciò a sognare le sue fiabe; nell'angolo c'è ancora una pianta di uva spina sui cui rami si posano i passeri.

Ricordo la piccola signora che dirigeva a Mosca la casa di Čechov. Aveva un volto tondo e mite, un sorriso sfumato. A Stalingrado erano caduti il marito e l'unico figlio. Parlava del dottor Anton Čechov come di una persona che le apparteneva, come di quei due soldati dispersi nella battaglia del Volga: «Questo calamaio glielo ha regalato una vicina di casa. Era povera e lui la curò rifiutando il compenso». Innaffiava le pianticelle della camera da letto, spolverava la lumiera di porcellana azzurra. Spiegava: «Prima di chiudere gli occhi Čechov mormorò: *Ich sterbe*, parlò in tedesco, io muoio. Noi russi sappiamo morire».

Sono passato ad Oxford, nel Mississippi; volevo vedere dove viveva William Faulkner, quello che è rimasto. Lo avevo conosciuto a Milano; spiegò la sua estetica: «Ciò che amo è raccontare dei fatti, inventare dei personaggi e delle situazioni. Non c'è altro».

Ignorava la critica, non seguiva i commerci letterari; si occupava di granturco e di caccia alla volpe. «Per scrivere» diceva «mi basta un po' di pace e una bottiglia di Jack Daniel's.» Il suo nome figurava ancora nell'elenco del telefono, Faulkner William Culbert, 3-2-8-4, ma al numero 719 della Garfield Avenue non abitava più nessuno. Le assi del piccolo patio di legno scricchiolavano, la cassetta per la posta era arrugginita, il recinto dei cavalli marciva.

Sul comodino da notte, al motel, c'era un fascicolo dedicato alla città: abitanti 25.000, due alberghi, una stazione radio. I personaggi più importanti: due belle ragazze che furono elette Miss America, e infine, con una foto ragionevolmente più piccola, un certo William Faulkner che nel 1949 vinse il Nobel.

Casa Tolstoj

Mi mostrano una pesante macchina da scrivere Remington, il registratore che Edison gli mandò in dono; ricordo le memorie di Bulgakov, il segretario che fu testimone delle passioni degli ultimi anni; Lev Nikolaevič ascolta senza emozione la sua voce, riceve tutti, a tutti scrive.

Questa macchina, penso, ha battuto le pagine della *Sonata a Kreutzer*, ha raccontato le meditazioni del generale Kutuzov sotto l'incalzare delle truppe napoleoniche e l'incendio di Mosca; ha risposto alla lettera del contadino di Kolačev che chiedeva a Tolstoj di spiegargli il senso della vita e di Dio; a quella del commerciante di Samara che aveva dubbi sull'oltretomba: «Ci sarà per l'anima un premio o un castigo?»; alla ragazza di Pjatigorsk che, disperata e sola, voleva avvelenarsi con l'acido fenico.

Un pianoforte, un samovar d'argento, un barometro. Guardo alcune fotografie che mostrano il vecchio Lev: ha quasi ottant'anni e galoppa nella grande pianura su uno sfondo di rami spogli; guida un aratro trainato da due cavalli bianchi... Passo per la camera degli ospiti, dove soggiornarono Gor'kij e Čechov [...]; Čechov aveva un sorriso sbiadito, gli occhi rassegnati; la faccia da popolano di Gor'kij rivela fierezza e duri propositi.

Guardo i libri che Lev consultava spesso: un dizionario enciclopedico, il Corano, la Bibbia, Platone e Confucio. Vicino allo scaffale c'è la riproduzione di Raffaello che amava.

A una parete sono appese le corna di un alce, forse trofeo di una caccia nelle foreste che si distendono qui attorno.

Una domenica, in Russia, ho preso la strada che conduceva a Charkov, e sono arrivato a Jasnaja Poljana. Lì Tolstoj è nato; venne al mondo sul largo divano di pelle scura che si conserva ancora nello studio, come i suoi fratelli, come i suoi figlioli, perché dicevano che portava fortuna: da qui partì per andare a morire, stravolto dalla stanchezza e assillato dai problemi morali, alla stazione di Astapovo.

Attorno alle scuderie del conte Volkonskij, un nonno materno che possedeva quelle terre, volavano bassi i rondoni, larghe farfalle bianche che si posavano sui giunchi.

Mi fermai davanti alla sua scrivania: è posta sotto una finestra, si vedono abeti, faggi, e l'erba verde; lì passò lunghe ore a meditare sulla sorte degli uomini e a inventare un destino per Liza, per Nataša, per Anna e per Katiuša, per Vronskij o per Pierre Bezuchov, le sue creature. «Tutte le felicità si assomigliano,» ha scritto «ma ogni infelicità ha la sua fisionomia.»

Se ne andò sette anni prima della rivoluzione. Aveva detto: «Non sono che uno scrittore di un'epoca di transizione». La sua tomba è sotto due grandi aceri, in mezzo a un bosco di betulle screziate, di querce antiche. Un breve rialzo di terra coperto di garofani candidi, poi di foglie, poi di neve.

Da giovane cronista andai a San Mauro, il paese di Pascoli: oggi hanno aggiunto il suo nome, come Sasso, che è diventato Sasso Marconi. Lì, la notte del 10 agosto 1867, «una cavallina storna» (e quello «storna», mi spiegarono da scolaretto, vuol dire che ha il mantello grigio costellato di ciuffi bianchi) tornò a casa trainando un calesse sul quale c'era il padre di «Zvanì», ucciso da una fucilata. Lasciò otto figli, tra cui due bambine: Ida e Maria. Dice la sua poesia: «E restò negli aperti occhi un grido, / portava due bambole in dono».

Mariù non volle mai tornare a San Mauro. Quando Giovanni voleva vendere le medaglie d'oro guadagnate ai concorsi di poesia latina, per riacquistare la casa dei suoi, lo scongiurò di non farlo. Aveva sognato la madre, disse, che con sdegno gettava via una chiave. Era un avvertimento: non bisognava irritare la povera morta.

Nel mio piccolo viaggio nella poesia, c'era un punto ovvio e fermo: Recanati. Non c'è vecchio ragazzo italiano che non abbia nella memoria «l'ermo colle» e «la donzelletta vien dalla campagna».

Quella del contino Giacomo non è una casa ma una dimora. Quanti libri, con le belle rilegature di cuoio, e vengono in mente «le sudate carte»: imparò «senza maestri» anche la «lingua greca», e si diede seriamente agli studi filosofici, cominciando «indipendentemente dai precettori in età di dieci anni». Tra le sue letture, una *Storia dell'astronomia* e una *Analisi delle idee* che lo spingono a una conclusione rassegnata: «A giudizio di molti savi la vita umana è un gioco».

La contessa Anna Leopardi custodisce luoghi e memorie di Giacomo. È una garbata e colta signora che vive dove il poeta trascorse gli anni delle speranze. Conversiamo in giardino.

«Una infanzia felice [rievoca] fino al primo amore. Da qui lui passava nell'orto delle monache. Non aveva bisogno di uscire per andare al colle de *L'infinito.* Si sedeva e vedeva il vasto panorama che gli dava la sensazione di spazi senza limiti.

«Ho trovato un libretto che gli aveva regalato la nonna, con una sua nota scritta a matita, piena di grossi errori, perché poteva avere al massimo quattro anni. Qui giocavano lui e Carlo, il fratello, e Paolina, agli antichi romani: Giacomo era sempre Pompeo, Carlo, Cesare, il tiranno, e Paolina veniva portata in trionfo su una carriola, coronata di alloro.

«C'è ancora la pianta. Qui dentro abitava Nerina, che nello scritto di Giacomo diventa Silvia: un simbolo. Forse ha avuto qualche appagamento sessuale, ma veri amori no. Cosa è stata Recanati per lui? Amore e odio. Sognava una città ideale che non trovava da nessuna parte. Roma non gli piace. Forse Pisa è la città che ha amato di più. Giacomo Leopardi è parte degli italiani, forse una delle più belle, anche se il fisico è stato così infelice.»

Ha scritto d'Annunzio: «In ogni pietra della mia casa rivivo e rinnovo con una vicenda che estenua la mia forza...».

È in corso Manthonè, a Pescara, due piani, con le ringhiere dei balconcini in ferro battuto. Davanti c'è una piazzetta detta dei «fiori» e un ulivo spunta tra un ciuffo di lauro e uno di tuia. Nell'interno un cortile con il pozzo e una scala di pietra: «L'andro-

Un incontro fatale

Gabriele d'Annunzio dà alle stampe *Il fuoco*; racconta, con turgido linguaggio, le sue vicende sentimentali con la Duse. Al primo incontro, va subito diritto: «Salve, o grande amatrice». La smaliziata signora del teatro si lascia intrappolare: «Ho quarant'anni e amo». Non è attraente, magra, la pelle olivastra, non si tinge i capelli, ma sa trasformarsi: «Io sono bella quando voglio». Quando si conoscono, Gabriele ha trentatré anni, una moglie e tre figli, e un'amante ufficiale, dalla quale ha avuto una bambina; Eleonora «dalle belle mani», cinque di più e un tenero legame con Arrigo Boito, poeta, compositore, critico drammatico e musicale. Scoppia «la passione devastatrice» e la Duse confessa: «Lo detesto, ma lo adoro».

ne è umido e tacito, come una cripta senza reliquie» ricordava Gabriele.

E gli veniva in mente la madre in attesa: «Non pianga. Tornerà quel suo figlio / a la sua casa. È stanco di mentire. / Tornerà. Non vorrà mai più partire: / certo, più mai. Da troppo tempo è solo».

Non si è mai lamentato della sua terra: quando incontrava dei concittadini parlava in dialetto.

Sono andato a San Vito, all'Eremo: lì scrisse *Il trionfo della morte*, mentre celebrava allegramente la vita con Elvira, da lui ribattezzata Barbara Leoni, la bruna e forte ispiratrice dei suoi primi romanzi e delle *Elegie romane*: è l'Elena Muti del *Piacere*, Ginevra del *Giovanni Episcopo*, e Giuliana Hermil de *L'in-*

nocente: «Così Barbara Leoni mi fu ridonata dalla tristezza e dalla poesia, o similitudine di una foglia o di un fiore tra le pagine d'un libro escluso».

Sono andato a San Vito: ho visto «il pino del promontorio su la scogliera nerastra» da dove, secondo una leggenda, si buttarono due amanti, e dove Gabriele e Barbara avevano vissuto, diventando personaggi letterari, «un sogno di cupa lussuria». È rimasta una vestaglia sgualcita, che fu forse di Eleonora Duse o di Barbarella, c'è una lapide, che ricorda il soggiorno del Vate e qualche sua riga di rimpianto affidata a una lettera: «Pare che mi scoppi il cuore. Come ero felice! Mai mai, nella vita, sono stato tanto felice».

Fino all'ultimo, anche quando raggiunse «la turpe vecchiezza», visse con l'ossessione delle donne: se le faceva mandare al Vittoriale e voleva che gli garantissero la gioia «d'ufficio»: e poi rilasciava anche degli attestati di benemerenza.

E quando affidava il passato e le nostalgie alla corrispondenza il linguaggio da alato diventava concreto: «Ti ricordi? Ti ricordi le folli carezze, quanto tu eri tutta nuda nell'accappatoio bianco e io ti prendevo in tutte le attitudini più lascive?».

E via con i particolari e il vocabolario floreale, che sembra più che un epistolario amoroso il catalogo Sgaravatti: molte attenzioni sono dedicate alla «rosa», che è «ardentissima», e che per l'uso che se ne fa riduce Barbarella «pallida come un morto».

Il letto dell'Imaginifico ha i materassi gonfi di foglie di frumentone, come si usava allora: chissà che fracasso quando «più cresceva lo spasimo del piacere più Barbarella si agitava».

D'Annunzio non era né costante né devoto: negli affetti e nei sensi. Mentre inneggiava alle «belle mani» di Eleonora Duse, si intratteneva con la sua rivale Sarah Bernhardt, e ancora con una sua amica fiorentina, e poi con l'attrice di varietà Liane de Pougy, e avanti con una dama milanese e con altre «gentili ignote». Poi le piazzava più o meno trasfigurate nei romanzi. E quando non c'erano le signore, entrava in scena la cameriera, la signora Mazoyer, e anche lei, come è diventato poi di moda, ha lasciato il suo diario lascivo.

«Tutto [mi raccontò Giuseppe Prezzolini] era dominato da d'Annunzio e dalla rivista *Il Marzocco*. Non l'ho mai voluto incontrare. Ha vissuto parecchi mesi a Settignano, stava in villa e andava a cavallo nel bosco, anch'io e il pittore Spadini ci andavamo a passeggiare. Se lo incontravamo ci giravamo dall'altra parte senza levarci il cappello. Era l'emblema della vita senza pensieri, godereccia, era quello del *Piacere*. Non ci garbava. Papini lo vide dopo il fiasco di *Più che l'amore*. Era solo al tavolino di un caffè. Si avvicinò ed ebbe una conversazione spiccia e cordiale. Romain Rolland, che lo aveva conosciuto, mi spiegò che quando era solo Gabriele appariva straordinario; se c'era il pubblico si eccitava e diventava intollerabile.»

Il mio breve viaggio si è concluso a quello che il dolce, malinconico e crepuscolare Guido Gozzano aveva battezzato «il dolce paese che non dico».

Sono stato nel Canavese tra campi coltivati a granturco e boschetti di faggi; ad Agliè, c'è la villa «Il Meleto», dove il poeta trascorreva l'estate e dove sono state scritte alcune delle sue poesie più belle o più recitate: *La Signorina Felicita, L'amica di Nonna Speranza* e le lettere all'amica Amalia Guglielminetti.

Non è un museo, ma i garbati signori Conrieri che abitano la dignitosa costruzione, lo hanno conservato pudico e vivo: il parco verde con il tavolino di marmo e le sedie di ferro: «Signorina Felicita, a quest'ora / scende la sera nel giardino antico».

Sono rimaste anche «le buone cose di pessimo gusto»: i fiori in cornice, le miniature, le tele di Massimo d'Azeglio, i dagherrotipi, il tavolo da lavoro, i periodici del suo tempo: *La lettura, L'Illustrazione italiana,* la prima raccolta dei suoi versi: *La via del rifugio,* i suoi resoconti di viaggio: *Verso la cuna del mondo.*

Nella sua stanza c'è il letto dove chiuse gli occhi per sempre: Torino, 9 agosto 1916. Aveva trentatré anni. Riposa nella sua terra, nella chiesa di San Gaudenzio.

Due suoi versi: «Io penso talvolta che vita, / che vita sarebbe la mia / se già la Signora vestita di nulla non fosse per via». Era arrivata.

Bevitori a Dublino

Un rintocco ritardato degli accordi di Cowley si chiuse, smorì nell'aria che se n'era arricchita.

E Richie Goulding beveva il suo Power e Leopold Bloom il suo sidro beveva, Lidwell la sua Guinness, il secondo signore disse che avrebbero usufruito di altri due boccali se non le spiaceva. Miss Kennedy smorfiò, biservendo, labbra coralline, al primo, al secondo.

Non le spiaceva.

— Sette giorni in prigione, disse Ben Dollard, a pane e acqua. E poi, caro Simon, canteresti come un tordo.

Lionello Simon, cantante, rise. Babbo Bob Cowley suonò. Mina Kennedy servì. Il secondo signore pagò. Tom Kernan entrò pavoneggiandosi; Lydia, ammirata, ammirava. Ma Bloom cantava senza voce.

Ammirando.

JAMES JOYCE

Il giardino di casa Pascoli

Già m'accoglieva in quelle ore bruciate
sotto ombrello di trine una mimosa,
che fioria la mia casa ai dì d'estate
co' suoi pennacchi di color di rosa;

e s'abbracciava per lo sgretolato
muro un folto rosaio a un gelsomino;
guardava il tutto un pioppo alto e slanciato,
chiassoso a giorni come un birichino.

GIOVANNI PASCOLI

Nemo propheta...

    Nella mia patria dove sapevano ch'io era dedito agli studi, credevano ch'io possedessi tutte le lingue, e m'interrogavano indifferentemente sopra qualunque di esse. Mi stimavano poeta, rettorico, fisico, matematico, politico, medico, teologo ec. insomma enciclopedicissimo. E non perciò mi credevano una gran cosa, e per l'ignoranza, non sapendo che cosa sia un letterato, non mi credevano paragonabile ai letterati forestieri, malgrado la detta opinione che avevano di me.

GIACOMO LEOPARDI

Pioggia in giardino

Nel mio giardino triste ulula il vento,
cade l'acquata a rade goccie, poscia
più precipite giù crepita scroscia
a fili interminabili d'argento...
Guardo la Terra abbeverata e sento
ad ora ad ora un fremito d'angoscia...

GUIDO GOZZANO

VI

Toscani
(Benedetti/maledetti/unici)

«Godi, Fiorenza, poi che se' sì grande
che per mare e per terra batti l'ali,
e per lo 'nferno tuo nome si spande!»

DANTE ALIGHIERI

«Che tutti gli italiani siano intelligenti, ma che i toscani siano di gran lunga più intelligenti di tutti gli altri italiani, è cosa che tutti sanno, ma che pochi vogliono ammettere.»

CURZIO MALAPARTE

«Conosciuto un buon toscano, non si può starne lontano.»

DETTO POPOLARE

C'era una volta (anni di Chruščёv) un direttore della *Pravda* che conosceva il marxismo-leninismo ma anche l'ironia. Si arrabbiava, ad esempio, quando gli inviati dei giornali italiani, per attaccare il sistema, scrivevano inesattezze o magari panzane: «Per dire male dell'Urss non occorre inventare» commentava.

Avevamo stabilito un rapporto che oserei dire cordiale: gli promisi che non avrei mai detto che i sovietici mangiavano i bambini. Gli raccontai anche che durante alcuni precedenti soggiorni a Mosca ero andato a visitare il Museo della rivoluzione bolscevica: e ogni volta avevo visto documenti o facce di protagonisti sparire, o notato qualche discutibile sostituzione. «Questa» disse ridendo «è la dialettica della storia.»

Un processo senza fine, dunque, che coinvolgeva anche le enciclopedie; dedicarono spazio a un certo Lysenko, un cialtrone che capovolgeva le leggi della genetica: faceva nutrire le vitelle con molta panna così, spiegava, quando diventano vacche, ci sarà molto più grasso nel loro latte.

Ogni edizione del *Dizionario* veniva adeguata alle ultime variazioni estetiche e al momento politico.

Gli dissi che alloggiavo all'Hotel Ucraina, esempio terribile dell'architettura degli anni di Stalin, e che con tutti quei pinnacoli e quelle guglie faceva una sgradevole e desolante impressione. Eccessivo.

«Hai ragione,» ammise «ma quello sfarzo, come gli ori sprecati della Metropolitana, piace al nostro *mužik*. Sono segni del potere. Ne approfittava anche lo Zar. Il contadino toscano nasce e ha davanti agli occhi la bellezza, il paesaggio e la pittura dei primitivi. Altro che steppa.»

Eppure, diceva Curzio Malaparte, «se è cosa difficile essere italiano, difficilissima cosa è l'esser toscano». E spiegava certi aspetti dei suoi compaesani: «Quando son nemici lo sono per l'eternità». Lui ne fu la prova.

L'avevo visto al fronte, dopo il 1943: era inviato dall'*Unità* e firmava Gianni Strozzi. Poi nel dopoguerra a Roma, in compagnia di Nantas Salvalaggio (lui scherzava «Rari Nantas») e di una bella turista americana: ricordo che la signorina aveva lunghissime gambe abbronzate e vestiva di azzurro. Curzio faceva vaghi discorsi sull'eleganza: a una certa età, ragionava, niente camicie, che segnano le rughe del collo, ma morbide magliette. La ragazza si suicidò a Capri. A proposito del rancore, fu invece coerente: morì confidando a Guglielmo Peirce: «Mi dispiace di andarmene prima di Montanelli».

Nella sua storia piena di contraddizioni, dai versi: «Spunta il sole e canta il gallo / o Mussolini monta a cavallo», al passaggio a Togliatti, c'è stata una sola vera passione e per una donna: Virginia Agnelli, la madre dell'Avvocato. Per lei inventò anche dei versi: «Solo per te, Virginia, solo per te /

Exit Malaparte

Il senatore Agnelli lo cacciò freddamente dalla *Stampa*, che dirigeva; pare che Curzio, a Roma, lo avesse messo in cattiva luce presentandolo come avversario del regime.

C'era qualcosa di vero. Aveva assunto, nonostante il divieto delle superiori autorità, un giornalista che godeva di eccellente reputazione, ma con due grossi difetti: era ebreo e non dimostrava il suo consenso: Giulio De Benedetti.

Al congedo tra De Benedetti e Malaparte era presente Santi Savarino, il redattore capo del giornale. Una sola battuta: «Malaparte, qui dentro ci sono i soldi della liquidazione. Li prenda e poi mi restituisca la busta, per favore».

Qualche anno dopo uno sfrontato mostrò una fotografia di Curzio Suckert, più noto come Malaparte, a Virginia Agnelli: l'autore di *Kaputt* era nudo, sulla neve, appena uscito da una sauna finlandese, e si copriva alla meglio con qualche rametto di betulla. «Era più magro» commentò la signora. Una risposta che rivela lo stile.

aprirò il cielo notturno alla mia fronte, / il sapore del mio sangue solo per te, / Virginia, brucerà la bianca notte d'estate».

Raccontava il pittore Orfeo Tamburi che a Parigi, dopo il successo di *Kaputt*, «tutte le donne erano disposte ad aprire le gambe per lui», ma non era «un grande amatore», perché, afflitto da narcisismo, si risparmiava, preoccupato soprattutto di mantenersi in forma. Affetto da un velo di *couperose*, le sottili venine che affiorano sulla pelle del volto, si incipriava, faceva vita igienica, nuotava, pedalava su una bicicletta da corsa; superstizioso, il venerdì 17 non usciva di casa. Però nell'ultima ora ha voluto accanto a sé un prete e un comunista. Non si sa mai.

Lo dice Dante, parlando dei suoi compatrioti: «... quello ingrato popolo maligno» (*Inferno*, XV, 61). Ho parlato dell'argomento con uno di Fucecchio; si chiama Indro Montanelli, e conosce bene quelli delle sue parti:

> «Quando fanno un piano astratto sembrano dei demonî, ma nella realtà perdono, come dei poveretti. Scrivono *Il Principe* per vincere un concorso da segretario comunale e sono bocciati. Malaparte? Tra me e lui non era accaduto nulla, ma sentiva che non lo consideravo, o vedeva in me un concorrente. Non c'era nessuna parentela tra noi due. Quando era malato chiese: "Perché Indro non viene a trovarmi?". Io andai, ma non volle ricevermi, per umiliarmi. La frase che disse prima di andarsene io non l'avrei mai detta.»

Toscano di altri sentimenti, come Giuseppe Prezzolini che ha intitolato la bella autobiografia *L'italiano inutile.* Nei suoi ricordi c'era anche una partita a carte con Giosue Carducci, compagno di scuola del padre, prefetto di Sondrio, e una visita di De Amicis, che era sotto sorveglianza della polizia perché noto come socialista.

Prezzolini mi parlò della gioventù a Firenze, dell'amicizia con Papini:

«Io gli insegnavo il latino, lui ricambiava con lo spagnolo. Papini sposò una contadina venuta a servizio in città, e mia moglie le impartì le prime lezioni perché imparasse a leggere e a scrivere. Era molto bella e aveva doti di intelligenza, e gli fu accanto fino alla fine. La sua fortuna.»

Nell'albo delle figurine, un'altra compagna: di Benedetto Croce:

«Andai a trovarlo a Napoli, stava con una ragazza affascinante: più alta di lui, sembrava Teodora, l'imperatrice di Bisanzio, con quello sguardo stupito, era romagnola, non si sa come l'abbia trovata, chi diceva in un bar chi in un postribolo, non aveva marito, dimostrava spirito, sentimento, compassione.»

Il mondo di ieri. Forse quello un po' becero raccontato dai bozzetti di Renato Fucini: *Le veglie di Neri*, storie paesane di cacciatori di beccacce e di tordi, con protagonisti che ormai si ritrovano solo nei vocabolari: lo speziale (che è poi il droghiere o il farmacista), il pievano, il procaccia, e lo «sbuccione» che vuol dire, nientemeno, lo sfaticato, e ci sono mangiate pantagrueliche che sembrano quelle celebrate da Gogol', e finiscono regolarmente con un bicchiere di aleatico e uno spicchio di cacio.

E poi si parla dei «montanarini», quelli che scendono dai villaggi dell'Appennino che divide

L'anarco-conservatore Prezzolini

Enzo Biagi: – Come ti definiresti?

Giuseppe Prezzolini: «Un anarchico conservatore: libertaria è la mia natura...

– Dio si cerca o si trova? A che punto sei arrivato?

«Si trova quando si cerca. Studio sempre, me ne occupo. Ho appena scritto un articolo su sant'Agostino, è il mio santo preferito perché è passato attraverso il peccato, è passato dalle meretrici a Dio. Poi aspetta Dio dal di dentro, non dal di fuori. È la voce di Dio, non il ragionamento.»

– Se tu avessi la facoltà di poter emettere qualche provvedimento, che cosa decreteresti?

«Garibaldi, dopo aver lasciato Roma nel '49, ci torna quando le nostre truppe l'hanno riconquistata.

«Gli staccano il cavallo, lo portano all'albergo, gli chiedono un discorso. Lui va al balcone e dice: "Romani, siate seri". Rinnoverei, estendendolo, questo appello.»

– Che cos'è la democrazia?

«Un ideale irraggiungibile, ma che forse si potrà ancora ritentare. Non credo però che il popolo italiano sia quello che ci riuscirà...»

– E la dittatura?

«Il ricorso che le masse fanno a un individuo per avere una unità.»

– Quale sistema ci si addice di più?

«Non c'è dubbio: il governo di uno solo, sia chiamato dal popolo, sia eletto con maggiori poteri: un presidente, come in America.»

l'Emilia e la Toscana, e vanno in Maremma a far carbone.

Io, bambino, sono stato tra quei «poveri diavoli». Il mio babbo, lo chiamavo così, imballava sacchi di bracia, mia madre cuciva camicie per i contadini che la pagavano con bottiglie d'olio e forme di pecorino. Li ricordava sempre con rimpianto: «Brava gente» diceva, e tra le sue carte ho ritrovato fotografie color seppia di quella mia prima avventura: un bamboccio con la frangetta e un gonnellino (si usava così); con gli occhi sgomenti per quell'insolita cerimonia.

Non credo si possa chiudere il carattere di un popolo in una scheda: ma si può provare. I toscani hanno il senso del comico: basta pensare alle beffe narrate dal Boccaccio, o a Benigni e a Pieraccioni.

Benigni sembra inventato da Collodi: certamente è stato compagno di banco di Lucignolo e di sicuro ha conosciuto Giamburrasca. Non ho paura di compromettermi: Benigni è un genio. Per come parla, che fantasia, come si muove, che burattino, per l'innocenza della sua scurrilità, per il senso di allegria e di libertà che diffonde. È eccessivo in tutto: anche nelle trovate.

E che cos'è la satira se non si esercita sui potenti? Dice: «L'aspetto più comico della vita italiana è il fatto che siamo il popolo di san Francesco e votiamo per il più ricco». «La storia» dice Roberto «è la cronaca della nostra infelicità.» Spiega: «Agnelli ci ha rovinato con le macchine. Dice: "Io vi do il benessere". Ma è meglio poveri in un giardino che ricchi in un garage».

Benigni e Firenze

Una dichiarazione d'amore per la città dei Medici è questa di un famoso attore comico, Roberto Benigni, anche se espressa con un linguaggio paradossale: «Quando cammino per Firenze, il duomo non lo guardo neanche, ma me lo sento tutto addosso, e mi pesa ogni mattone... Io sono ogni mattone. In un certo senso è come se il duomo lo avessi fatto io. Un mattone, d'altra parte, non guarda gli altri mattoni: così non ho bisogno di guardarlo il duomo, per sentirlo. È come con Masaccio: io sono Masaccio. E se mi chiedi come è fatta piazza della Signoria, non te lo so dire, non me lo ricordo mica. Tra me e Firenze c'è un rapporto sfuggente, la attraverso di corsa, come un ladro, per paura di essere preso. Per me, poi, le cose più belle della Toscana sono i fagioli all'uccelletto e Pinocchio...».

Berlusconi: «Sempre con quel doppiopetto anni Trenta, sembra la parodia di un gangster: Al Cafone.

«Fin da piccolo disse: "O divento presidente del Consiglio o niente". È riuscito a diventare tutti e due». E ancora: «La vittoria di Berlusconi sarebbe un pericolo per la cultura. No, è la cultura un pericolo per Berlusconi».

Bossi: «La Lega è sacrosanta, a Catanzaro se ne sentiva il bisogno. E poi è bastato lo slogan: "La Lega ce l'ha duro". Mi ha fatto subito capire la serietà del partito».

I toscani amano lo scherzo e la satira e le feste di piazza; con carri mascherati che mettono in burla le meschinità o gli eccessi della politica o della vita. Rissosi talvolta, «Meglio avere un morto in casa che un pisano alla porta», e legati al passato e alle tradizioni: dal Palio di Siena alla Giostra del Saracino, che non sono soltanto richiami per i turisti.

Ho incontrato Aceto, una leggenda. In realtà, si chiama Andrea Degortes. Ha vinto quattordici volte la corsa di Piazza del Campo; oggi alleva cavalli e cura la terra che si è comperata, sopportando anche l'amore e l'odio delle contrade. Per spiegare il suo temperamento basta pensare al suo nome d'arte: quando c'è polemica è svelto e aspro. Non ama neppure l'animale che gli ha dato la fama:

«È molto bello ma non capisce niente. Il Palio è attraente perché ci sono i senesi, altrimenti diventa una qualsiasi corsa.

«Vincere è il successo, perché poi si guadagna anche del denaro. Molto meno di Schumacher, anche se credo il rischio sia uguale, ma quanto basta per avere la tranquillità nella vita. E al cavallo che ha trionfato assieme a me danno le carote, le mele, la cicoria. Gli danno un premio di sentimento.»

Ma la Toscana è, prima di tutto, Firenze, e forse una piazza, quella della Signoria. Lì si dibattevano gli affari dello Stato e si svolgevano le solenni cerimonie repubblicane; e lì fu impiccato e arso l'eretico Savonarola.

Lì parlano nei secoli Donatello, Michelangelo, il Giambologna e Benvenuto Cellini, con il *Perseo*, il suo capolavoro. Lì c'è Palazzo Vecchio, che fu sede dei Priori delle Arti: «Del fiorentino» spiega Montanelli «va salvato almeno un carattere: è quello dell'amore che ha per il municipio».

Ho chiesto a Mario Primicerio, il sindaco: che cosa vuol dire governare Firenze?

«È una cosa difficilissima.»
– Perché?
«Perché ci sono i fiorentini.»
– Un inconveniente?
«No, una grande risorsa. Un popolo estremamente intelligente, che ha una profonda cultura e un profondo senso critico.»
– Che cosa hanno di diverso, di più o meno degli italiani di fuori?
«Hanno una buona dose di inventiva, e una coscienza dei loro valori forse eccessiva, quando tendono a giudicare un po' gli altri.»

In Toscana anche i preti sono inconsueti. Lasciamo stare fra' Girolamo Savonarola, non prendiamola alla larga: è da queste parti che va a cercare un rifugio, con la sua carovana di diseredati, don Zeno Saltini, costretto a lasciare Fossoli per traslocare dalle parti di Grosseto.

Ed è a Barbiana che era priore don Lorenzo Milani, e fu osteggiato per le sue prediche, per il linguaggio e per come educava i figli dei contadini.

Sono stato a vedere la sua parrocchia, tra i castagni, i cipressi e gli olivi, quattro case vuote: il deserto. Ci sono ancora le panche dove sedevano i suoi scolari, le sedie impagliate, la cucina disadorna e un cartello con un motto: «I care», che vuol dire mi riguarda, mi preoccupa, mi impegna. Viveva in solitudine e spiegava il Vangelo. Insegnava anche le lingue ai garzoni e aveva fatto scavare una piscina: ora vuota d'acqua, i muri scrostati. Rompe il silenzio solo lo stridìo delle cicale.

Scrisse due lettere aspre, quasi arroganti, ai giudici e ai cappellani militari. Altre dolcissime, alla madre. Usava le parolacce, come i classici: «Chiameremo culo il culo (quando occorre, non una volta di più o una di meno)», era considerato un disobbediente, muore di cancro ai polmoni, lo hanno sepolto con i paramenti sacri e gli scarponi da montagna.

L'ultima lettera è per Michele e Francuccio, scolari: «Ho voluto più bene a voi che a Dio, ma ho la speranza che lui non stia attento a queste sottigliezze e abbia scritto tutto al suo conto. Un abbraccio».

Ho ascoltato Michele Gesualdi. Gli fu accanto, ascoltò i suoi discorsi. È entrato anche in politica:

«Don Lorenzo ci ha insegnato il rispetto degli altri e a impegnarci per una causa bella e alta. È difficile capirlo se non si parte da un fatto: quando era ancora ragazzo abbracciò in modo misterioso Dio e la sua Chiesa.

«Chi era?

«Un prete che ha tentato di applicare il Vangelo, senza armi, per salvarsi l'anima e quella degli altri.

«Il peccato che detestava per primo era la

115

perdita di tempo: un povero non se lo può permettere. È bestemmiare uno dei doni più belli che Dio ci ha dato, un bene che passa e non torna.

«Poi l'egoismo. Pensare a se stessi e non al prossimo. Fu combattuto perché era un sacerdote "diverso": cercava di offrire alla gente la Chiesa vera, quella di Cristo. E questo gli ha procurato dispiaceri, specie dal mondo cattolico tradizionale, che allora guardava più al potere temporale che non a quello dello spirito. Il suo dolore più forte, non essere stimato dalla sua Chiesa. Che amava.

«Diceva: "La mamma anche se è brutta va rispettata". In punto di morte disse al cardinale: "Vuole in eredità quello che ho costruito? Vuole ricevere l'abbraccio dei poveri che io ho avuto in questi anni?".

«Ho passato con lui l'ultima notte. Parlava ancora, anche se con tanta fatica, anche se aveva la lingua gonfia per il male.

«Il suo messaggio è andato ben oltre Barbiana, ha scavalcato gli Appennini e anche le Alpi, e oggi è un punto di riferimento per tanta gente di buona volontà, anche se rischia di essere ucciso da quanti, e sono molti, se ne vogliono appropriare. È un modo di uccidere una persona che tormentava, che frustava coscienze, che irritava. Quando si usciva da un colloquio con lui, si era pervasi da un grande senso di serenità, ma anche da un forte turbamento.

«In Barbiana ci sono pressioni enormi perché diventi luogo di turismo, di visite guidate, di banchetti con le immaginette e i ricordini».

Don Milani: don Cesare Bensi lo conosceva bene

Enzo Biagi: – Molti, incontrandolo, riportavano una impressione sgradevole.

Cesare Bensi: «Anch'io, se non gli avessi voluto bene, lo avrei picchiato; era insopportabile a volte. Però sempre per ribadire i suoi ideali, e soprattutto per rendere chiara la sua scoperta: l'uomo quando ha la cultura può difendersi meglio da certe cose, ma per altre diventa più vulnerabile. Il suo grande avvertimento: "Bisogna dare a tutti la capacità di ragionare, di avere delle idee e di propagarle".»

– Don Milani, ancor prima di soffrire per la malattia che lo ha ucciso, ha affrontato amarezze, battaglie, tribunali, insulti. Anche da parte di coloro che avrebbero dovuto essergli vicini. Quale pensa sia stato il suo dolore più grande?

«Quando aveva insuccesso con i suoi scolari, perché non tutti lo hanno seguito. Era di una esigenza spaventosa, voleva che non pensassero ad altro: sapere e basta. Avrebbe desiderato che i suoi superiori lo difendessero, ma, santo figliolo, molte volte era incomprensibile: limpido, schietto, ma talmente profondo che nascondeva anche la sua verità. Certi aspetti di lui li ho capiti dopo.»

Ho chiesto a don Enzo Mazzi, guida della Comunità dell'Isolotto, un quartiere popolare, perché i preti da queste parti danno qualche pensiero ai vescovi.

Lo riconosce:

«È vero. La Toscana è una regione con forti tradizioni di autonomia critica. Siamo, ad esempio, contro la santificazione di Savonarola. Abbiamo fatto anche delle manifestazioni, a cinquecento anni dal suo rogo. Santificato vorrebbe dire bruciarlo di nuovo nelle sue ansie, nelle sue esperienze più profonde. Però è attualissimo: perché ha posto al centro la questione morale. Non c'è riforma della società se non c'è anche quella della coscienza. E anche della Chiesa. Tutte due o nulla. E ancora un cambiamento politico a favore delle categorie più disagiate. Qual è il peccato più grave? L'ipocrisia.»

Sono andato a trovare Mario Luzi, il poeta più volte candidato al Nobel. Una nota editoriale dice: «Nessun poeta di questo secolo possiede la sua nobiltà di passione, di stile, di gesto».
Ricordiamo il tempo delle «Giubbe Rosse», il caffè dove si incontravano gli scrittori negli anni del fascismo, quello di Papini, di Giuliotti, e del *Frontespizio*, la rivista letteraria diretta da Piero Bargellini.

«Papini l'ho conosciuto, e anche avvicinato più volte. Giuliotti sono andato a trovarlo a Greve, quando era già isolato nel suo romitorio. Era una figura di altri tempi, però acceso e vivo. Papini era l'uomo che nulla poteva sorprendere, nulla.»

Gli domando, e mi scuso ora dell'impertinenza, se il Nobel più volte annunciato, poi senza viaggio a Stoccolma, ha lasciato in lui qualche segno.

«Più volte ho avuto qualche segnale e mi sono messo, insomma, un po' in tilt. Poi veniva regolarmente la delusione perché era andato ad altri. È una cosa molto oscura. Credo che il mistero sia la sostanza del Nobel. Io sapevo di Fo niente, se non che è un attore conosciutissimo nel mondo. Ma che fosse uno scrittore, e che avesse il merito, lo ignoravo. Ed è certamente torto mio. Quindi ho manifestato una certa sorpresa, ma non dispiacere.

«Chi sono i toscani? Sono quelli che presumono di avere il quadro del presente senza ombre, senza illusioni. Nell'insieme la Toscana è una civiltà: italiana, beninteso.»

Franco Zeffirelli, regista di prestigio internazionale: ovvero una giovinezza a Firenze. L'ho trovato a San Gimignano; stava girando un film autobiografico.

Firenze è una città che incoraggia le vocazioni artistiche:

«Se hai i tuoi occhi, i tuoi sensi aperti, vedi delle cose talmente straordinarie che è difficile, poi, diventare una persona qualsiasi, come diceva Bernanos: "I bambini ridono anche nel ghetto di Varsavia". Ogni mattina spalancavo la finestra della mia cameretta e mi trovavo davanti la cupola del Brunelleschi, e mi ripetevo la stessa domanda: "Come ha fatto l'uomo a creare questa cosa? E l'hanno fatta i fiorentini".

«Per adesso i toscani sono in uno stato di sincope, di lenta eutanasia. Mi pare non ci siano fermenti di nessun genere, ma questo è un problema dell'Italia. La cultura è condannata al conformismo, a un *prêt-à-porter* di ogni genere. Non ci sono più identità locali, mi sembra. Malaparte ha detto: "Maledetti toscani". Certo, non ne lasciano passare una. Dobbiamo sempre dire pane al pane. Oppure, a volte (è il versante machiavellico), dire una cosa pensandone un'altra. Con il toscano bisogna sempre stare un po' attenti.»

Sandra Bonsanti è la sola donna alla guida di un quotidiano: *Il Tirreno* di Livorno che una volta si chiamava *Il Telegrafo*, ed era stato diretto da Giosue Borsi, un poeta caduto nella prima guerra mondiale, e da Giovanni Ansaldo, quando divenne proprietà della famiglia Ciano.

Ha rispetto dei suoi lettori:

«Livorno [dice] è una città straordinaria, eccessiva in tutti i sensi. Ci sono persone che potrebbero essere caricaturali, ma non lo sono: sono fiere e non gliene importa nulla di apparire anche un po' eccentriche. Amano molto la libertà e l'autonomia. Perché i toscani credono e, quando hanno fede in qualcosa, vanno fino in fondo.»

Ha detto Lorenzo Milani, sacerdote: «Il cuore

dell'uomo è qualcosa che i libri non sanno leggere né catalogare. Un'anima non si muta con una parola».

È sepolto nel cimitero di Barbiana, sperduto e vuoto paese abitato dagli spiriti.

Ma don Lorenzo parla ancora.

Il personalissimo Baedeker di Dante

Aretini

> **Botoli** *trova poi, venendo giuso,*
> *ringhiosi più che non chiede lor possa;*
> *e da lor disdegnosa torce il muso.*

Purg., XIV, 46-8

Fiorentini

> *Tra li* **ladron** *trovai cinque cotali*
> *tuoi cittadini onde mi ven vergogna,*
> *e tu in grande orranza non ne sali.*

Inf., XXVI, 4-6

Lucchesi

> *... O Malebranche,*
> *ecco un de li anzïan di Santa Zita!*
> *Mettetel sotto, ch'i' torno per anche*
> *a quella terra, che n'è ben fornita:*
> *ogn'uom v'è* **barattier**, *fuor che Bonturo;*
> *del no, per li denar vi si fa ita.*

Inf., XXI, 37-42

Pisa

> *Ahi Pisa,* **vituperio de le genti**
> *del bel paese là dove il sì suona,*

poi che i vicini a te punir son lenti,
muovasi la Capraia e la Gorgona,
e faccian siepe ad Arno in su la foce
sì ch'elli annieghi in te ogni persona!

Inf., XXXIII, 79-84

Pistoia

Vita bestial mi piacque, e non umana,
sì com'a mul ch'i' fui: son Vanni Fucci
bestia, e Pistoia mi fu **degna tana.**

Inf., XXIV, 124-26

Un buon profeta

La piazza di Siena è curiosa per la sua forma: è una con-chiglia. Sarà il terreno, o il proposito di riempirla d'acqua per spettacoli di naumachia, che l'ha fatta costruire in tal modo? Lo ignoro. Tutt'intorno la circonda un terreno piatto, lungo il quale passano le vetture. Se su questa piazza si dessero degli spettacoli, la via piatta che la contorna sarebbe comodissima per gli spettatori.

D.A.F. DE SADE

Toscani come nemici

I toscani son come sono, son quel che sono, e quando son nemici son nemici per l'eternità, né si arrendono mai, neanche se li persuadi in cuor loro del contrario. Ma quando sono ami-ci sono amici, e può cascare il mondo che l'amicizia non te la tolgono. Né mi si venga a dire che i toscani son traditori, solo perché, quando si fan guerra fra loro, adoprano il tradimento come un'arma. E che cos'è, se non un'arma?

CURZIO MALAPARTE

VII
Marche
(Terra di industriali e poeti)

«Di fronte al coro, sotto la cupola, all'estremità della navata, c'è il grande oggetto di devozione... la Santa Casa trasportata qui [a Loreto] da Gerusalemme. [...] Peccato che in mezzo a tutto questo faccia difetto il decoro. Ho visto un uomo ubriaco chiedere l'elemosina; e la cosa era tollerata.»

D.A.F. DE SADE

«I più furbi per abito e i più ingegnosi per natura di tutti gl'italiani, sono i marchegiani: il che senza dubbio ha relazione colla sottigliezza della loro aria.»

GIACOMO LEOPARDI

«'Gni paese ci ha la sua.»

DETTO POPOLARE

Per anni, nel giornale dove imparavo il mestiere, ho curato l'edizione delle Marche. Seguivo anche le piccole storie di paese: l'arrivo di un nuovo maresciallo dei carabinieri, le feste dei santi patroni, un furto di cavalli, la triste fine di una trama d'amore.

Sapevo i nomi di luoghi dove non ero mai stato: a Castelfidardo, ad esempio, fabbricavano fisarmoniche con bellissime tastiere decorate di madreperla; a Loreto, oltre ai rosari, cappelli da prete, e i pellegrini andavano a chiedere grazie alla Madonna; a Corinaldo viveva la madre di una creatura eletta: Assunta Goretti, mamma di Maria.

Andai a trovarla subito dopo la fine della guerra, e di questa vecchia contadina ricordo soprattutto la sofferenza per i lampi del fotografo e il discorso che aveva la monotonia di una scena tante volte recitata. Non sentivo dentro quelle parole né commozione né dolore; con il tempo anche nella tragedia si assegnano le parti e il copione è fatalmente ripetitivo.

Maria, come è noto, difese disperatamente la sua innocenza ma, secondo lo storico Giordano Bruno Guerri, oltre alla fede, non aveva nulla di straordinario: alta 1,30 al massimo, mani callose e unghie nere, umiliata dal lavoro dei campi, insom-

A proposito di Maria Goretti

Enzo Biagi: – Qualche mese fa una ragazzina menomata è stata violentata da un infermiere in un ascensore di un ospedale di Milano. Mi chiedo: Maria Goretti oggi finirebbe sugli altari o nella cronaca giudiziaria?

Mons. Ersilio Tonini: «Finirebbe ancora sugli altari e con maggiore partecipazione perché, come comunità cristiana, sentiamo il riflusso delle idee e la svalutazione di certi princìpi quasi per un processo naturale che investe il nostro modo di pensare. Addirittura siamo tentati di rifiutare i concetti, ma di assumere almeno il linguaggio.

«Per cui, ad esempio, anche noi predicatori parliamo meno della castità, della verginità.

«Alla fine di una conferenza, una signora presente disse: "Io sono scandalizzata, mi meraviglio che nel 2000 si discuta ancora di decoro della donna, della illibatezza", perché per lei significava tornare al Medioevo. Sono meriti e pregi che bisogna avere il coraggio di ripresentare.»

ma «una bambina disgraziata, ottusa dall'ignoranza propria e altrui».

Intravidi anche il «bruto», Alessandro Serenelli; l'assassino, ormai decrepito, aveva trovato protezione e rifugio in un convento, e i frati lo custodivano come una reliquia vivente perché esaltasse ancora, da peccatore pentito, l'eroica virtù di Maria che seppe resistere all'aggressione di un garzone ossessionato dal sesso.

Poi anche il concetto di purezza si è adeguato agli usi dei tempi. E forse anche le regole della morale evolvono: sono cresciuto in una casa dove si rispettavano le vigilie, bisognava fare la comunione a digiuno, una donna «separata» non veniva ricevuta nei buoni salotti.

Secondo gli storici del costume è con il marchigiano Enrico Mattei che ha inizio la corruzione di Stato. Nella mia memoria, per la verità, ci sono altri scandali precedenti: uno delle banane e uno del tabacco, ad esempio, intrallazzi ridicoli se poi si pensa a Tangentopoli. L'immagine di Mattei appare assai lontana; eppure fu uno dei protagonisti del dopoguerra, uno di coloro che hanno più contato.

Giorgio La Pira, il leggendario e «Santo» sindaco di Firenze, mi disse che lo considerava «la figura più eminente, anche in senso politico»; altri lo collocavano subito dopo Alcide De Gasperi; il *New York Times,* che non era certo dalla sua parte, lo descriveva «ambizioso e spietato, tuttavia pieno di fascino». Durante una lunga intervista mi spiegò la sua filosofia:

«Una volta mi piaceva la caccia poi, invecchiando, si diventa meno crudeli: non posso pensare di sparare a un animale. Tornai da caccia, una sera, sfinito, e così i due cani che mi avevano accompagnato. Preparai per loro una grande zuppa, sarebbe bastata per dodici. C'era in un angolo un gattino striminzito, uno di quei gattini che si trovano nelle cascine e che mangiano quando possono. Si avvicinò al mastello. Un brac-

Un «Santo» e un «Machiavelli»

Credeva anche nei sogni. Enrico Mattei mi raccontò che un giorno, mentre presiedeva una riunione, ricevette una telefonata urgente di Giorgio La Pira.

«Enrico,» gli diceva il sindaco dei fiorentini «ho parlato stanotte con lo Spirito Santo. Mi ha detto che verrai subito qui.»

«Non credo» obiettava Mattei. «Non vedo perché.»

«Mi ha detto che verrai e prenderai il Pignone.»

«Hai capito male» rispondeva Mattei. «Non mi intendo di industrie meccaniche.»

«Mi ha detto che farai un affare» insisteva La Pira.

Mattei mi guardò e concluse il suo racconto: «Ho preso il Pignone e adesso lavora senza sosta».

co tedesco, con una zampata, gli spaccò la spina dorsale. Non me ne sono mai dimenticato.»

Forse anche per questo nacque lo strano cane nero simbolo dell'Ente nazionale idrocarburi, inventato da Leo Longanesi. E di zampe ne aveva sei.

Per raggiungere i suoi scopi l'ingegnere non guardava troppo per il sottile. Finanziava un po' tutto, riviste e movimenti, nominava ministri suoi, governava. Tra i suoi beneficati, ed era stato un capo partigiano, anche i fascisti: «Mi servo del loro partito come di un taxi» spiegava. «Salgo, faccio la corsa, guardo il tassametro e pago.» Era un cattolico che faceva la comunione e andava a donne, ma i soldi per lui non esistevano. Percepiva lo stesso stipendio del funzionario più pagato. Il suo aereo cadde durante un temporale, in provincia di Pavia, nell'ottobre 1962, forse per un attentato. Tutto finito, trentasei anni fa: e sembrano secoli.

Quando uno pensava alle Marche gli venivano in mente Leopardi e la siepe dell'*Infinito*. O Frusaglia, il borgo celebrato da un altro paesano, Fabio Tombari, un maestro elementare che trascorse la sua vita in campagna, a Rio Salso di Pesaro. Raccontava un piccolo mondo dove tutti si conoscono, si amano e magari si detestano: la provincia i cui muri, ha detto Flaubert, «trasudano odio».

E in quel dolce paesaggio, dove abilissimi artigiani costruiscono organi e strumenti musicali, ricercati da artisti e da collezionisti, nascono le fabbriche, si impongono le industrie. Così la Merloni: 15.000 dipendenti, 31 stabilimenti oltre le frontiere, 5000 miliardi di fatturato. Ogni giorno, in Europa, 50.000 famiglie comperano un prodotto della ditta. La leggenda di Aristide Merloni comincia negli anni Trenta: fa bascule e ha sei operai. È tornato ad Albacina, dove è nato, piantando un impiego che gli rende 4000 lire al mese (e mille è il sogno dell'italiano, celebrato anche da una canzone).

È un momento mitico: America e Europa sono devastate dalle crisi economiche, le dittature hanno buona fortuna. Merloni è fascista come tutti, ma non fa politica. È un cattolico osservante, nato in una di quelle famiglie dove nel mese di maggio si recita il rosario. In gioventù aveva militato nei

Popolari con don Sturzo. È perito industriale: lancia le bombole a gas, un lusso, una comodità che era il privilegio solo di chi viveva in città. Il compaesano Mattei ha scoperto il metano. Merloni attacca con gli scaldabagni, poi passa ai fornelli, alle cucine e dopo i frigoriferi, le lavabiancheria e il lavastoviglie. E resta fedele ai suoi monti. Non vuole che i marchigiani emigrino. Porta lo stabilimento verso l'uomo, non lo allontana dalle sue radici. Dopo la catena di montaggio, l'orto o il campo; dice: «È meglio far viaggiare i prodotti piuttosto che sradicare le persone dalla loro terra».

La regione ha quattro università, a «Urbino ventosa» studiò Giovanni Pascoli e a Urbino è nato Paolo Volponi che raccontava il suo borgo antico «chiuso come una noce». Volponi conciliava l'impiego all'Olivetti con la letteratura.

A Cupra Montana è legato invece Luigi Bartolini, di cui restano le stupende acqueforti e alcuni libri; al suo *Ladri di biciclette* si ispirò De Sica.

Era un carattere difficile e un polemista terribile; un suo testo è intitolato: *Perché do ombra.* Scriveva: «Gli spiriti onesti e liberi hanno sempre la peggio nel nostro Paese». Sentiva e disegnava la gente e i panorami delle sue parti: contadini e pescatori, innocenti atmosfere marine e campi vibranti di colori.

Una sua incisione è intitolata: *Fine dell'esistenza.* La mano è la sua, si apre e volano via tante mosche: è la vita che se ne va.

Non resta nulla? Purtroppo, noi non conserviamo né la memoria né le cose che accompagnarono le vicende degli scrittori o degli spiriti illuminati.

Giuseppe Prezzolini ha lasciato le sue carte in Svizzera: «Non voglio» mi disse «che finiscano a marcire in una cantina». Quando se ne andò Riccardo Bacchelli, una libreria del centro di Milano mise in vetrina le sue opere: non trovarono un lettore. Diego Fabbri, il commediografo, mi confidò un giorno amareggiato: «I francesi dei loro autori conservano anche le cartoline con i saluti».

Marche, che cosa vuol dire? Centinaia di rocche, castelli, fortificazioni, cinquecento piazze, 163 santuari e 13 abbazie; a Pesaro c'è la casa natale di Rossini, anche se i romagnoli sostengono che da piccolo visse soprattutto a Lugo; per confermarlo, gli hanno intitolato anche un teatro. E tra Fermo e Macerata, c'è il più importante distretto mondiale delle scarpe: più di 2600 miliardi di esportazioni. Ho parlato con Diego Della Valle, amministratore unico dell'azienda di famiglia: dà lavoro a più di duemila persone, e nella nuova sede ci sono anche un asilo e una palestra per i dipendenti.

Questi industriali marchigiani sono anche socialmente all'avanguardia, vedi i fratelli Guzzini, lampade, bagni e oggetti domestici, che si distinguono per il *design* e i materiali, e figurano nei musei d'arte moderna di New York, Chicago e Tokyo, e sono nelle vetrine di sessanta nazioni. Le poltrone Frau, da sempre aspirazione dei bravi borghesi, le fanno a Tolentino, e c'è un settore che fornisce anche i sedili degli aerei e per gli elicotteri.

Ho chiesto a Diego Della Valle, che è di questi luoghi, che cosa fa il carattere del marchigiano. Risposta:

«È una persona che ha avuto la fortuna di vivere in una bella regione, ancora a misura d'uomo e magari, è il mio caso, di essere un industriale e un cittadino del mondo. Un imprenditore di queste parti ha la mamma o il nonno che hanno ancora a che fare con la terra, che coltivano l'orto di casa, gente che non ha perso l'amore per la natura.

«La fantasia, forse la necessità, vivendo in una zona dimenticata dalle autorità e dalle autostrade, ci hanno spinti a darci da fare un po' più degli altri. Confiniamo con Romagna, Abruzzo e Umbria, ma nel nostro temperamento c'è molto del romagnolo. Noi possiamo esportare quello che viene definito il *made in Italy*, che erroneamente spesso si identifica con cose care e di lusso, e significa invece per me versatilità, invenzione.

«Qualunque cosa si faccia, una scopa o una scarpa, credo che siamo imbattibili, ma dobbiamo poter muoverci senza lacci che ci mettono nella condizione di essere meno bravi in partenza dei nostri concorrenti. Abbiamo appena finito uno stabilimento che per me è un orgoglio, non soltanto perché lo definiscono bello, ma perché ci sono asili, palestre, ristoranti, auditorium: se la gente è contenta di stare con noi, noi siamo contenti perché facciamo denaro, e i consumatori soddisfatti se possono acquistare i nostri buoni prodotti».

Forse l'Italia si regge perché c'è chi fa vestiti, ceramiche, vini, oggetti che hanno un inconfondibile gusto. Uno stile che ritrovi anche nelle case dei contadini e nelle pitture dei primitivi. E se pensi alle Marche, nelle sculture di Arnaldo e Giò Pomodoro.

Ritornano i ricordi. Ancona dopo la guerra. Si processavano nel tribunale riassestato i fascisti. E anche i partigiani: era una città segnata dai bombardamenti, ma che pareva fuori dalle passioni. Noi cronisti alloggiavamo in un albergo mal riscaldato. Uno, rientrando, portò una ragazza che batteva la strada: l'aveva trovata intirizzita dal freddo. Fu mantenuta per un po' dalla compagnia, una colletta, e nessuno chiese contropartite. Scendeva all'ora del caffelatte, sedeva nel tavolino d'angolo, sola.

Il negro che vidi una domenica sul porto. Guardava il mare, il volo dei gabbiani, le loro grida sottolineavano la malinconia che ci univa.

L'osteria di Gotulio, l'anarchico. C'è ancora? Era il posto di riferimento, dove sbarcavano gli anarchici di passaggio.

Vivevano nella città gli ultimi eredi dell'apostolo Errico Malatesta. Gli hanno dedicato una piazza. Ricordo un vecchio dagli occhi azzurri e ingenui, che diceva: «Non cerchiamo la giustizia ma la verità».

Erano un po' contro tutti: non andavano neppure a votare. Pensavano, quei libertari, che la rivoluzione si costruisce ogni giorno: magari dando alloggio, pane e vino a compagni sconosciuti e anche più disgraziati di loro.

«L'anarchia sono io» dicevano. Bellissimi tipi che avevano tanto da sperare e niente da perdere.

Un porto romano

... quel che bisogna vedere, ad Ancona, è il porto. [...] è artificiale, e fu costruito da Adriano: si vede ancora, sul molo orientale, un bell'arco di trionfo dedicatogli dai romani; è di grossi blocchi di marmo, ma sembra formato da un unico blocco, molto ben proporzionato; è di ordine corinzio, con la cornice senza modiglioni né dentelli; ma tutto l'insieme è d'un'esattezza meravigliosa.

MONTESQUIEU

Una precisazione sull'«Infinito»

Circa le sensazioni che piacciono pel solo indefinito puoi vedere il mio idillio sull'infinito e richiamar l'idea di una campagna arditamente declive in guisa che la vista in certa lontananza non arrivi alla valle; e quella di un filare d'alberi, la cui fine si perda di vista, o per la lunghezza del filare, o perch'esso pure sia posto in declivio ec. ec. ec. Una fabbrica una torre ec. veduta in modo che ella paia innalzarsi sola sopra l'orizzonte, e questo non si veda, produce un contrasto efficacissimo e sublimissimo tra il finito e l'indefinito ec. ec. ec.

GIACOMO LEOPARDI

(1° agosto 1821)

Un distillato doc

Se si volesse stabilire qual è il paesaggio italiano più tipico, bisognerebbe indicare le Marche... L'Italia è un distillato del mondo; le Marche dell'Italia.

GUIDO PIOVENE

Un liberista selvaggio

Chi mi chiedesse quanto e fino a qual segno la filosofia si debba brigare delle cose umane e del regolamento dello spirito, delle passioni, delle opinioni, de' costumi, della vita umana; risponderei tanto e fino a quel punto che i governi si debbono brigare dell'industria e del commercio nazionale a voler che questi fioriscano, vale a dire non brigarsene né punto né poco. E sotto questo aspetto la filosofia è veramente e pienamente paragonabile alla scienza dell'economia pubblica. La perfezione della quale consiste nel conoscere che bisogna lasciar fare alla natura, che quanto il commercio (interno ed esterno) e l'industria è più libera, tanto più prospera, e tanto meglio camminano gli affari della nazione; che quanto più è regolata tanto più decade e vien meno...

GIACOMO LEOPARDI

(23 febbraio 1823)

VIII
Napoli
(Fu la Regina del Mediterraneo)

«Signor, perdonate, questa è la mia patria!»

UN BAMBINO NAPOLETANO A GOETHE

«Dio creò i "Quartieri" di Napoli per sentirsi lodato e offeso il maggior numero di volte nel minore spazio possibile.»

GIUSEPPE MAROTTA

«Chello che se vo', se pò; chello che nun se vo', nun se pò.»

DETTO POPOLARE

Esistono anche le città dell'infanzia, quelle dell'immaginazione. Un nome sulle carte geografiche colorate, appese nelle aule delle scuole di una volta: con il ritratto dei sovrani (la regina Elena sfoggiava una collana di perle), il crocefisso e una stampa di Leonardo o di Antonio Meucci, inventore del telefono. E la fantasia volava.

C'era nell'aria la polvere del gesso, e l'odore dell'inchiostro che si secca, e anche del sudore dei ragazzi che si lavavano, ogni tanto, nella catinella di latta.

Uno confondeva Ancona con Verona, ma nessun equivoco su Napoli. Era quella della cartolina con il golfo, il pino e il Vesuvio sullo sfondo, i vicoli con i panni festosamente stesi, i pazzarielli e i venditori d'acqua e limone, c'era la donna che friggeva zeppole, l'ostricaro, la vecchina dei polipi o l'impagliatore di seggiole, come nei presepi, e poi tanti suonatori di mandolino.

È il mondo, scomparso, di Matilde Serao e di Salvatore Di Giacomo o, più vicino, di Giuseppe Marotta: l'albero che era diventato un simbolo è morto, soffocato dal cemento. Nei «bassi» c'è ancora tanta gente: le donne siedono fuori dalla porta di casa, ma nella grande cucina – che serve da stan-

Una piazza napoletana

Piazza del Mercato non è la più bella o la più famosa, ma è quella che ricorda meglio il passato: per secoli fu al centro della vita popolare, c'erano tante osterie e tante botteghe che vendevano cibarie, fu teatro di amori e di duelli, e tra i suoi vecchi palazzi e il mercato Masaniello chiamò a raccolta i suoi «lazzari» e scatenò la rivolta. Il pescatore rivendicava i diritti della povera gente, ma era un furfante, generoso e furbo, colpevole di parecchi delitti e circondato da una specie di Armata Brancaleone, spioni e sbirri, briganti e donne di prosperosa bellezza e di disinvolte abitudini.

È qui che viene decapitata «la bionda testa» di Corradino di Svevia, vittima innocente di Carlo d'Angiò; è qui che cadono i patrioti rivoluzionari del 1799; e sugli antichi edifici si scatenò, durante l'ultima guerra, la furia delle «fortezze volanti». «In nessuna città come a Napoli» scrive Raffaele La Capria «c'è un culto così ossessivo del proprio passato.»

za unica – c'è posto, oltre che per l'altarino dedicato alle anime sofferenti del purgatorio e a qualche santo, anche per la tv e il videoregistratore.

Sono ancora scene che ho già viste, nel primo dopoguerra, nei capanni con il tetto di canne alla foce del Po: è vero, come diceva Zavattini, che i poveri sono matti, e allora non badavano a spese pur di avere la radio con il mobile bar e il «frigo», nel quale c'era chi infilava anche le scarpe.

Nei pressi della chiesa del Gesù Nuovo c'è anente» chi lo contraddiceva. Disse di lui un successore, il sindaco comunista Maurizio Valenzi: «Ha interpretato i vizi e le debolezze dei napoletani. Era il vendicatore della città tradita, pretendeva il rispetto dei diritti calpestati da Roma».

Il passato lo ritrovo anche nelle targhe stradali: c'è una piazza Togliatti, una via La Malfa, un viale Nenni.

E nella memoria di alcuni amici scomparsi, che Raffaele La Capria ha rievocato in un libro tenero e avvincente, *Napolitan graffiti*. Penso a Tommaso Giglio, a Domenico Rea o ad Antonio Ghirelli, come me un superstite.

Ho in mente Rea alla Rizzoli, clamoroso, di una cordialità quasi invadente, e Domenico Porzio che mi diceva sottovoce: «È un tipo geniale. Ha scritto dei racconti straordinari». Mi pare che il libro fosse *Gesù, fate luce*.

L'ho incontrato poi quando aveva vinto tanti premi; ed era inebriato e felice. Ha goduto poco il successo.

Ho lavorato con Luigi Compagnone in tv. Non era sempre facile. Con Antonio Ghirelli e con Giglio abbiamo letto alla Radio della V Armata, diventata Radio Bologna, la notizia della fine della guerra. Uno ripeteva le frasi profetiche di Roosevelt e l'altro di Churchill e io, mi sembra, quelle di De Gaulle. Lo avevano detto che sarebbe finita così. Da La Capria imparo che i miei amici giornalisti e scrittori napoletani si odiavano cordialmente; ma sentii Quasimodo, il giorno che seppe del suo Nobel, proclamare nei corridoi della Mondadori, in via Bianca di Savoia a Milano: «Chi sà come soffrirà Montale».

cora una Carmelina che vende spremute d'arancia, e resiste qualche lustrascarpe, mentre dilagano le bancarelle che spandono buoni odori di pesce sgocciolante o di verdure umide di brina.

Napoli è davvero una città straordinaria: adesso gli automobilisti si fermano quando il semaforo è rosso, le strade sono pulite, nelle classifiche del crimine organizzato si piazza al quattordicesimo posto.

Ma è una città abituata ai prodigi: è dal 1389 che, regolarmente, il sangue di san Gennaro, il protettore contro le epidemie, le invasioni e i capricci del Vesuvio, sebbene ufficialmente «epurato» dalla lista dei santi dai teologi vaticani, si liquefà alle insistenti richieste dei devoti.

Da queste parti gli «eventi» perdono l'eccezionalità: così accade che Alfonso Martucci, avvocato del boss camorrista Francesco Schiavone, fa passare candidandosi a Casal di Principe nel 1992 i voti di un esangue partito, il Pli, dal 2,1 al 30,8 per cento. Convincente.

Perché stupirsi? Non è poi una stagione tanto lontana quando Sua Eccellenza il Prefetto mandato da Roma riceveva con i dovuti riguardi i rappresentanti dei contrabbandieri di sigarette.

Ma c'è anche il malessere di Napoli e della sua popolosa provincia: dall'inizio dell'anno, 71 omicidi e 1500 rapine. Nel 1997, quasi 3000. L'illecito entra talvolta nelle consuetudini, direi nel folclore: a Poggioreale, nella località detta «Lo scasso», sotto un cavalcavia, sono sorte centinaia di baracche dove smerciano, a prezzi di grandissima convenienza, ricambi per auto e motorini: naturalmente rubati. E resiste il degrado dei Quartieri spagnoli o del rione Sanità, dove è nato Totò, che al cimitero ha una sua cappella nella quale abbondano i fiori freschi e le lettere con le richieste di una benevola intercessione di Sua Altezza Antonio de Curtis Gagliardi Griffo Focas Comneno principe di Bisanzio, presso l'Altissimo. Accanto a lui riposano Enrico Caruso, Nino Taranto ed Eduardo Scarpetta nonché l'oste Michele Giuliano perché, come dice una poesia di Totò *'A livella*, la morte pareggia tutti i conti. «'A morte 'o ssaje ched'è? / È una livella. 'Nu rre, 'nu maggistrato, 'nu grand'ommo, / trasenno stu canciello ha fatt' 'o punto / c'ha perzo tutto, 'a vita e pure 'o nomme...»

Napoli della memoria. I miei nonni lasciavano l'Appennino per andare a tirare su un muro o a tagliare alberi laggiù; e poi mi raccontavano che avevano sentito cantare Caruso, e quando faceva gli acuti tremavano i cristalli dei lampadari.

Quella disperata e mostruosa della guerra raccontata da Malaparte: chissà cosa c'era di vero. Una specie di Museo Grévin degli orrori: comandavano

gli Alleati, e i napoletani aspettavano, [...] personaggi di Eduardo, che passasse la «[...]

Ma sembra che il buio non finisca m[...] quasi duecentomila iscritti nelle liste di c[...]to, e più della metà sono giovani sotto i t[...] Si riuniscono sotto sigle fantasiose, come «[...] va popolare per il lavoro» e «Forza lavoro d[...]le»; e c'è anche una cooperativa di ex deten[...]

Napoli ha bisogno di avere un personag[...]bolo; adesso è l'onesto e intelligente Bassoli[...] non chiede a Roma l'elemosina, ma l'atten[...] Non recita la parte di un viceré spagnolo, né di[...] niello in uno scenario dove, secondo una auto[...] giornalista francese, Marcelle Padovani, «ogni ci[...]no è attore di una commedia dell'arte permanen[...]

Sì. Con le notti popolate da chilometri di si[...] rine disponibili, le «segnorine» dei soldati amer[...]ni, con i «femminielli» che vogliono tanto bene a[...] mamma, e le orchestrine che incantano le turis[...] con «In riva a 'o mare/facimmo ammore».

Ci fu il tempo del «Comandante» Lauro. I n[...]bili e i borghesi, che avevano per modello Benedet[...]to Croce, non lo apprezzavano affatto, ma i proleta[...]ri, i «lazzari», che vivono negli antri bui e alla giornata, erano affascinati dai suoi discorsi, dalle sue promesse e dai suoi pacchi di vermicelli. Gli urlavano: «Comanda', si rricco», «Bello si ttù», riempivano le piazze per i suoi comizi e lo votavano. Se il microfono denunciava qualche inconveniente, lui ordinava perentorio: «Si chiami il radiologo».

Ma quando buttava via i fogli che gli avevano preparato, dove avevano scritto, confidava all'uditorio, «troppe fesserie», e si lanciava nel dialogo spontaneo, trovava sempre il tono giusto ed era «fe-

Uno storico e il Comandante

Lo storico Giuseppe Galasso tratteggia un rapido profilo del Comandante: «Innanzi tutto era un grosso uomo d'affari, assai vicino a quei capitani d'industria del passato di cui la letteratura europea ci ha dato tante immagini, più che allo spirito del capitalismo di oggi.

«Aveva anche una proiezione più complessa, e si proponeva non soltanto nelle attività economiche, ma nella vita complessiva della società.

«Con il carisma della personalità, la capacità organizzativa, i mezzi cospicui che impegnò, è stato all'origine di un periodo della vita napoletana del dopoguerra, tra il '50 e il '60, in cui la città perse qualche appuntamento importante, come quello del miracolo economico. Non attribuisco, ovviamente, tutta la colpa ad Achille Lauro, né soltanto ai napoletani.»

Ho chiesto a Raffaele La Capria che cosa è rimasto della Napoli della sua giovinezza:

«Sono nato a Posillipo, in un palazzo costruito sul tufo, nel Seicento, dall'architetto Fanzago. Abitavo nel piano più vicino al mare, e la mia terrazza era aperta sul golfo, e vedevo il panorama delle cartoline. Sentivo il mare che si muoveva sotto gli scogli. Quando la sera andavo a dormire mi raggiungeva questa ninna nanna delle onde. Tanto è vero che quando sono andato a Roma a lavorare questa nenia mi mancava.

«Diceva Rea che a quelli che abitano a Posillipo l'aria gli fa svelto il cuore. Di Napoli ho visto più la luce che l'ombra, ed è quello che mi rimproveravano Compagnone e Anna Maria Ortese.

«Di allora è rimasta la memoria immaginativa, che significa certi colori, certe atmosfere, certi suoni e anche una disposizione verso il mondo. La visione del mondo che ci viene attraverso un luogo. Perché ogni luogo è una specie di nave affondata dentro di noi, che nel silenzio ci raggiunge con la sua magia.

«Nell'ultimo libro che ho scritto, *Napolitan graffiti*, ho detto che, naturalmente, ogni città è diversa da un'altra, ma Napoli lo è di più di qualunque altra italiana o europea.

«Per tre ragioni: perché ha avuto un abnorme sviluppo urbanistico che ne ha snaturato l'anima. Per cui la Napoli della cartolina, con il pino eccetera, rassomiglia a una megalopoli sudamericana. E naturalmente da questo fatto ne sono derivati tanti altri, perché sono cambiati la lingua, il costume, le abitudini dei napoletani.

«È come se non fosse stata fatta da uomini ma da scimmie che hanno devastato paesaggi meravigliosi, mettendo palazzi dove non dovevano essere, soffocando quartieri interi. Ciò dimostra che a Napoli non esiste una classe dirigente, come non è esistita una vera borghesia capace di reagire. Napoli è stata distrutta da questa speculazione infame.

«Su questo Francesco Rosi e io abbiamo fatto un film abbastanza forte, *Le mani sulla città*, che vinse il Leone d'oro a Venezia, ma le denunce non sono servite a niente. La seconda diversità è che da nessuna parte c'è, al centro, una popolazione che non è popolino o proletariato, ma la plebe. È una specie di sopravvivenza del mondo antico, con le sue tradizioni, i suoi riti, il culto dei morti, come Pompei, Ninive e Babilonia.

«E poi è l'unica dove c'è stata una guerra civile tra cittadini. La plebe ha praticamente massacrato la borghesia che voleva introdurre a Napoli le idee della rivoluzione francese. La gente amava il re, non tollerava quel "Liberté, égalité, fraternité", e fu una strage. E Napoli si fermò.»

La Napoli della mia memoria e anche di qualche rimpianto ha il sapore dell'adolescenza: la raccolta delle etichette della marmellata per ottenere il premio che competeva agli assidui consumatori; andavano spedite a San Giovanni a Teduccio.

Mia madre era devota di santa Geltrude, una virtuosa cristiana dalle origini tedesche, che aveva a Napoli un collegio per le orfanelle, guidato dalle monache benedettine. Per incoraggiare la protezione divina sui miei esami scolastici, e su quelli di mio fratello, si affidava alle preghiere delle bambine senza genitori e spediva un'offerta che, date le sue povere risorse, andava considerata più che altro un gesto sentimentale.

«Napule è un paese curioso / è nu teatro antico... sempre apierto; ce nasce gente ca senza cuncerto / scenne p' strade e sape recità.» Sono versi di Eduardo.

Una volta gli chiesi quale era il suo ricordo più bello:

«È nella mia città che ho provato la commozione più profonda. Fu alla prima di *Napoli milionaria*. C'era il fronte fermo a Firenze. C'era la fame e tanta gente disperata. Ottenni il San Carlo per una sera. I professori d'orchestra, per assistere allo spettacolo, si erano infilati nel golfo mistico. Vedrete che ci diffamerà, diceva qualcuno allarmato dal titolo.

«Io facevo Gennaro Esposito, un povero e brav'uomo che viene portato via dai tedeschi, e quando ritorna trova un figlio ladro, la moglie che fa il mercato nero, si è arricchita, lo ha tradito, e la figlia ha fatto l'amore con un soldato americano.

«Sono dei cinici, ma Gennaro Esposito, con tolleranza, con comprensione, fa capire ai familiari che non è finito niente, che la vita continua.

«Recitavo e sentivo attorno a me un silenzio terribile. Quando dissi l'ultima battuta: "Ha da passà 'a nuttata", e scese il pesante velario, ci fu silenzio ancora per otto, dieci secondi, poi scoppiò un applauso furioso e anche un pianto irrefrenabile; tutti avevano in mano un fazzoletto, gli orchestrali si erano alzati in piedi, i macchinisti avevano invaso la scena, il pubblico era salito sul palco, tutti piangevano e anch'io piangevo, e piangeva Raffaele Viviani che era corso ad abbracciarmi. Io avevo detto il dolore di tutti.»

Eduardo rievocava con malinconia i tempi dell'avanspettacolo:

«Scrivevamo i nostri copioni in camerino, negli intervalli, e la testa rimbombava dei dialoghi e dei sospiri dei primi film sonori.

«I napoletani sono esigenti: ogni settimana bisognava cambiare repertorio. E sono terribili: ti capiscono prima che parli e devi stare molto attento per poterli imbrogliare.

«Avevamo in cartellone *Sik Sik l'artefice magico*, e per rappresentarlo erano assolutamente indispensabili un colombo e una gallina. Una notte, spinti dall'appetito, ci rivolgemmo a un trattore perché ci cucinasse i due cari compagni di lavoro. Li mangiammo, ma con molta pena».

Napoli come meraviglia: con i gerani ai balconi, le donne dagli occhi vivi e dal seno incomparabile. «In italiano seno è singolare, ma per fortuna sono due» osservava il libertino Tom Antongini, segretario di d'Annunzio, e poi un paesaggio che incantava poeti e viaggiatori: «Si dica e si racconti quel che si vuole,» annotava Goethe «ma qui ogni attesa è superata. Queste rive, golfi, insenature, il Vesuvio, la città con i suoi dintorni, i castelli, le ville».

È un popolo che da sempre si arrangia, per sopravvivere alla prepotenza e alla miseria: «Viva la Franza, viva la Spagna, basta che se magna». Che festa, quando Pulcinella si butta sui maccheroni.

È l'antica fame che si accompagna alla rassegnazione: si può solo puntare sulla fortuna, e arrangiandosi. Hanno calcolato che esistono almeno 1500 attività sommerse. E così anche le sventure e i sogni forniscono i numeri per giocare al Lotto, secondo l'autorevole interpretazione della Smorfia.

La «Pizzaiola» de *L'oro di Napoli*

Lo ha deciso qualche anno fa il popolo di *Fantastico*: Sofia Loren, nel ricordo della gente, è la più viva e la più forte: più di Marilyn e della Callas, di Fred Astaire e di Edith Piaf. È vero che molti dei concorrenti al titolo di «più amato» sono defunti, ma va riconosciuto che la signora Loren ha un'immagine che accontenta tutti: maliarda e onesta madre di famiglia, matura signora, ma ancora dotata di richiami peccaminosi, capace sempre di profonde trasformazioni: da Sofia Scicolone a Sofia Lazzaro, a Sophia Loren; dalle sceneggiate napoletane ai film con De Sica o con Chaplin. Non è stata una vita fortunata la sua, ma voluta, costruita con il talento e il carattere.

Quando nacque, da una unione «irregolare», era una fragile bimbetta che per tutta l'adolescenza sembrava destinata a soccombere e, invece, verso i quattordici, racconta la madre, «miracolo di Dio, sbocciò come un fiore»: i prodigi della Provvidenza e degli ormoni sono sempre imperscrutabili.

Il gobbo, ad esempio, fa 57, i soldati, «E surdate» 12, il morto che parla 48, mentre 47 è quello che sta zitto, 21 la donna nuda e 71 l'uomo di merda, mentre la paura, lo sanno tutti, fa 90.

Per questa febbre, si indebitano anche: e un gesuita che vive le angosce dei suoi parrocchiani, padre Rastrelli della chiesa del Gesù Nuovo, ha creato una fondazione per combattere l'usura e attraverso il Banco Alimentare raccoglie i prodotti invenduti e che rischiano di «scadere» e li distribuisce ai poveri.

Si ricorre allo strozzino anche per far festa: i matrimoni, le cresime e le comunioni vanno celebrati sontuosamente, accidenti alle economie. Ci vuole il cantante alla Mario Merola, e non basta più il fotografo: si è passati al video che viene montato, immagini e musiche, come una telenovela. Un film di cui probabilmente non avete notizia, *Annare'*, interprete Gigi D'Alessio, ha incassato in Campania più del *Titanic*.

Ho chiesto a monsignor Michele Giordano, l'arcivescovo, qual è il peccato più evidente del suo gregge: «Forse una certa indolenza, dovuta anche a un complesso di inferiorità imposto da fuori».

Gli ho domandato chi sono gli ultimi, quelli a cui va la particolare attenzione di Dio. Risposta:

«Direi che la percentuale della gente che ha bisogno di tutto, dal vivere quotidiano al minimo di cultura, è la stragrande maggioranza. Ma Napoli sta cambiando perché c'è una stabilità politica che mancava da decenni, però il mutamento, pur visibile e apprezzabile, non ha toccato ancora i nodi: la mancanza di lavoro, di istruzione, la criminalità, anche se negli ultimi tempi mi pare si avverta una maggiore concertazione. Vanno affrontati non con le parole, ma con progetti precisi. La camorra ha fatto un salto qualitativo. Ha sostituito lo Stato che era assente. In molti quartieri c'è solo la presenza della parrocchia.»

Ho incontrato Carmela Marzano, moglie di Luigi. Ritenuto un capo della mafia napoletana. È una donna dall'aspetto gradevole e fiero, e c'è chi dice che anche lei aveva un ruolo importante nell'associazione. Si schermisce:

«Ho un grande uomo come marito. Mi ama, e non mi avrebbe mai messa in questa situazione. È una persona con forti sentimenti, ma non avrebbe mai preso ordini da me. Gli vogliono bene tutti a Forcella, specialmente le vecchiette. La sera dicono sempre il rosario per lui. Che lavoro faceva? Contrabbando di sigarette, mai venduto droga, questo glielo posso assicurare. Legge la Bibbia, il Vangelo. Comunque la sera prima di andare a letto pregava. Prega anche in carcere. Tutta l'umanità dovrebbe pregare.»

Cesare Moreno è maestro di scuola a Barra, un quartiere a rischio, nella zona orientale. Mi racconta che i suoi alunni la camorra la rappresentano con i giochi: fanno una specie di sceneggiata che simula il colloquio in prigione, con gli avvocati, le guardie e via dicendo. C'è in loro ammirazione per il più forte, per chi vince. Ma non con il delitto.

Non hanno a che fare con i ragazzi dei boss: quelli frequentano gli istituti privati. Nelle scuole pubbliche ci sono gli ultimi, «la carne da cannone», dice, quelli che vivono in famiglie «educativamente inadeguate». Eppure, spiega, «sono buoni, belli e puliti». Giovanni Ansaldo, durante un viaggio in India, mi disse: «Non vado via da Napoli neppure se mi mandano i carabinieri». Penso vi abbia vissuto una stagione felice: badava a scrivere, più che a confezionare il *Mattino*, «perché un signore non si occupa della cucina». Forse perché i vicoli di

Toledo gli ricordavano i carruggi della sua Genova, forse perché gli piaceva il calore della città.

Raccontano che la notte quando usciva dalla redazione incontrava nell'angiporto le signorine di piccola virtù che lo salutavano con un «Buonanotte, direttore», e l'omone rispondeva togliendosi rispettosamente il cappello. Quando il male lo assalì, annotò nel suo diario: «Oh, morire una notte di lavoro e di agitazione in tipografia!».

E ripenso alla Napoli degli amici della mia generazione: Antonio Ghirelli.

– Che cosa è rimasto? – chiedo.

«Una povertà diffusa [dice], la paura del futuro e contemporaneamente una grande ricchezza di sentimenti. Credo sia cambiato poco. Qualcosa sul piano del consumismo, purtroppo: quello televisivo, quello pubblicitario. Piccole cose che confortano una vita difficile. È una città che ha una sua storia, una sua vita, una capacità di comunicazione e di dolore che sono unici. Stiamo bene in compagnia. Amiamo l'amicizia. Amiamo l'amore.»

Dice Michele Prisco:

«Siamo stati anche una generazione sfortunata. La morte ha lasciato molti vuoti tra noi. Prima Luigi Compagnone, poi Anna Maria Ortese. Sono rimasti Ghirelli e La Capria, che io chiamo i napoletani della diaspora, perché vivono a Roma. Non sono superstizioso, però comincio a pensarci alla scaramanzia di qualche cornetto, perché quando scendevo per prendere il giornale mi sentivo dire: "Dottò, mo' siete rimasto solo voi".»

Mi ha raccontato il maestro Roberto De Simone: «Viviamo in una società che ha eliminato, o perlomeno rimosso, l'angoscia della morte, perché è l'unica grande contraddizione al consumo». Anche negli annunci funebri si scrive: «È mancato», perché si riduce tutto al minimo.

«I fantasmi non esistono, li abbiamo creati noi. Siamo noi i fantasmi» diceva Eduardo De Filippo. Forse per questo c'è chi va nel cimitero a parlare con i morti.

Ah... Napoli, Napoli, Napoli

Napoli non era terra d'andarci per entro di notte, e massimamente un forestiere.

GIOVANNI BOCCACCIO

Non sarà mai del tutto infelice chi può ritornare con il pensiero a Napoli.

WOLFGANG GOETHE

È l'unica città medio-orientale priva di un quartiere europeo.

LORD NELSON

... la dolcezza del clima, la bellezza della città e l'indole amabile e benevola degli abitanti mi riescono assai piacevoli.

GIACOMO LEOPARDI

... a Napoli, retorica e letteratura da strapazzo sono già tutte depositate nel costume, rifulgono nei modi civettuoli e rari delle dame, e scintillano nelle sale da ricevimento, nelle chiese sfarzose, tra le navate del Duomo addobbate di porpora e d'oro...

ANNA MARIA ORTESE

Un ufficiale inglese a Napoli nel 1944

A Napoli si è tentati di dare la colpa di ogni cosa alla sciagurata guerra, ma conoscendo più a fondo la città uno capisce che questa è solo una faccia della verità, e che la quasi miseria dei miei tre amici è un fenomeno antico e ben noto. La guerra ha semplicemente aggravato la loro situazione. Nel 1835 Alexandre Dumas, dopo aver passato qualche settimana in città, scrisse che solo quattro famiglie dell'alta società napoletana avevano patrimoni considerevoli, che una ventina tirava avanti passabilmente, mentre tutte le altre dovevano penare per mettere insieme il pranzo con la cena. L'importante era possedere una carrozza dipinta di fresco tirata da una coppia di vecchi cavalli, un cocchiere con la sua logora livrea e un palco riservato al San Carlo, dove si svolgeva gran parte della vita sociale della città. La gente viveva in carrozza o a teatro, ma le loro case erano interdette ai visitatori, ed ermeticamente sigillate, dice Dumas, per gli stranieri come lui.

NORMAN LEWIS

La musica delle voci

Mi basterà soffermarmi per un istante sulle «voci» napoletane, quelle del venditore di fave, d'acqua, di ciliegie. Ho udito anch'io risuonare più volte nella Napoli popolare le loro grida modulate, simili a quelle dell'Oriente; forse in esse è la musica napoletana più vera.

GUIDO PIOVENE

IX

I luoghi della fede
(Padova, San Giovanni Rotondo, Loreto)

«L'italiano che ha la sventura di non avere la fede nel cuore, deve averla nella mente.»

GIACOMO CASANOVA

«Devo dire che ho conosciuto alcune persone che mi hanno dato il senso di qualche cosa che potrei definire "santità"...»

CLAUDIO MAGRIS

«A chi crede, Dio provvede.»

DETTO POPOLARE

Ci sono anche gli itinerari della Grazia; c'è una Madonna di Pompei, c'è quella di Caravaggio e quella di Loreto, e già nei dintorni dello sconosciuto villaggio dove sono nato si venera una Vergine del Faggio e una dell'Acero: perfino la botanica segnala sui monti i tragitti della fede.

Poi bisogna stare attenti quando si prega: esistono ad esempio due santi di nome Antonio: c'è quello più amato dagli italiani, che essendo nato in Portogallo è considerato invece di Padova, e c'è Antonio l'abate (quello del porcello): lo si vedeva sempre nelle cucine dei contadini e nelle stalle, circondato da un branco di animali domestici che avevano un'aria allegra anche perché ignoravano il loro destino.

Abbiamo assegnato a quei cristiani virtuosi che scandiscono i giorni sui calendari delle qualifiche che si potrebbero considerare, in senso laico, anche delle specializzazioni: san Zeno, ad esempio, è oltre che patrono di Verona, protettore dei pescatori d'acqua dolce, perché per mettere insieme la cena buttava l'amo nell'Adige; santa Margherita è considerata protettrice dei minorati fisici, perché sembra che, mentre pregava, si sollevasse addirittura da terra e restasse a mezz'aria; san Lorenzo è ricordato non solo perché finì su una graticola, ma perché in una notte d'agosto le scintille che lo avvolsero si trasformarono in lucide stelle cadenti.

Si va ad Assisi a ritrovare con Giotto san Francesco: parlava agli uccelli perché gli uomini gli concedevano poca attenzione, si va a Loreto perché, lo afferma la tradizione, gli angeli hanno trasportato qui la casa dove alloggiava a Nazareth la famiglia del carpentiere Giuseppe e di sua moglie, la casalinga Maria.

Da più di cinquecento anni Loreto è meta di pellegrini che arrivavano, e arrivano, da ogni parte d'Europa: e ci passarono re e regine, san Luigi Gonzaga e san Francesco di Sales, e il filosofo Cartesio e Galileo Galilei, che vedendo ondeggiare una lampada davanti a un altare, mossa dal vento, pensò – a differenza del sacrestano, che si preoccupò di sistemarla – che la terra gira attorno al sole.

Questo è il genio: Newton, vedendo cadere una mela, non pensò al raccolto ma alla legge di gravità.

La Santa Casa di Loreto non ha fondamenta, è costruita con pietre che forse vengono dalla Terra Santa, e nel 1997 quattro milioni di erranti o di raminghi, come li chiamavano una volta, si sono inginocchiati a pregare. Mi ha detto monsignor Angelo Comastri, vescovo della diocesi:

> «La casa è il luogo dove ognuno cerca rifugio perché si sente accolto, si sente protetto, difeso. Quando i cristiani dovevano lasciare i luoghi santi sotto l'incalzare dei musulmani, hanno cercato di portare in Europa tutto quello che potevano.
>
> «Le case di Nazareth erano fatte così: una

grotta, dove si svolgeva la vita notturna, e un'aula, fatta di tre pareti, per quella di giorno. Questa è l'aula dove l'angelo si è presentato a Maria, dove Maria ha detto il suo sì.

«I crociati hanno portato via quelle pietre e sono approdati qui a Loreto il 9 e il 10 dicembre 1294. Ecco perché ogni anno in questa ricorrenza è festa grande.

«Qui è venuta nel secolo scorso Teresa di Lisieux, con la sorella Celina, si commosse e nei suoi manoscritti si legge: "Loreto mi rapì".

«Qui san Luigi Gonzaga offrì il suo sì verginale, e san Carlo Borromeo percorreva cinquanta chilometri a piedi e trascorreva una notte di veglia sulla porta della Santa Casa».

– È stato testimone di qualche prodigio?

«La sera, abitualmente, nel santuario c'è una processione, detta "La Processione della Luce". Ci sono tanti malati. Ho notato tre ragazzi che portavano un giovane completamente paralizzato, si chiamava Corrado, con un volto straordinariamente sereno.

«Gli ho chiesto se erano contenti di quello che facevano, mi hanno risposto: "Lo portiamo come se portassimo il Santissimo Sacramento".

«Ho detto: "Corrado, me la dici un'Ave Maria?". Mi ha guardato e mi ha risposto: "Padre, io esisto per questo. Esisto per pregare". Lei non ci crede: per me questo è un grande miracolo, e quella sera ho pianto.»

Ci sono in Italia più di duemila luoghi di culto e più di 1700 santuari: è in testa la Lombardia, seguono Emilia e Romagna e Piemonte. Muovono 35.000.000 di visitatori e un giro d'affari di 4500 miliardi.

Sant'Antonio richiama tra i 5 e i 6.000.000 di fedeli, San Giovanni Rotondo è al primo posto: raggiungono il paese del Gargano 6.000.000 di credenti, più che a Lourdes, a Fatima, a Santiago di Compostela, più che a Loreto: quattro.

Il mensile religioso *Messaggero di Sant'Antonio* stampa un milione e trecentomila copie, in tredici lingue, e la redazione riceve mille lettere al giorno e trecento telefonate.

Forse, si è chiesto un giornale francese, il XXI secolo sarà più religioso? A forza di scendere nel mare dell'indifferenza si è dimenticato il cielo e si è anche annunciata la morte di Dio; poi sembra che un impulso misterioso spinga la gente a rivolgere lo sguardo verso l'alto.

Sono tornato a San Giovanni Rotondo, nel Gargano. C'ero andato trent'anni fa, quando lui si affacciava a una finestrella per benedire la gente e celebrava una lunghissima messa.

La diceva all'alba sul piazzale, davanti alla chiesa di Santa Maria delle Grazie, che allora non era un monumento e le corriere scaricavano i pellegrini assonnati. Accanto alle donne vestite di nero, che biascicavano il rosario con voci stanche e monotone, c'era gente che veniva da lontano.

Il frate si avviava all'altare camminando con fatica, due novizi lo sorreggevano, i sandali consumati (adesso sono esposti come reliquie) strisciavano sul pavimento.

Ritratto di un futuro beato

Padre Pio era figlio di povera gente, si chiamava Francesco Forgione, nato in un villaggio della provincia di Benevento, ma rivelava, con quegli occhi che avevano ancora bagliori, la barba candida, il volto pallido e stanco, una certa nobiltà. Tutta la sua vita se ne era andata in una cella di convento, solo qualche breve passeggiata nell'orto... Per avvicinarlo, bisognava inginocchiarsi al suo confessionale: e una volta i suoi confratelli piazzarono anche un microfono per sentire che cosa spiegava ai penitenti.

Bisognava sottostare a una rigida organizzazione: seguire un modulo con le istruzioni, che aiutava anche a fare un bilancio delle colpe, attendere il proprio turno, limitarsi ai problemi dello spirito, non tollerava anche brevi divagazioni sui problemi concreti. Perché quasi tutti i visitatori avevano da chiedere l'intercessione del padre presso Dio per bisogni urgenti, per cause disperate: malattie, guai familiari, infelicità senza conforto.

Padre Pio aveva con sé, specialmente all'ombra dell'abside, qualcosa di misterioso. Le sue maniere erano brusche, si spazientiva perché, affermavano, leggeva nel pensiero: svelava anche mancanze nascoste o dimenticate, sgridava gli ipocriti, liquidava gli insistenti. I guai più grossi, e i maggiori dispiaceri, li ha avuti dalla Chiesa: ispezioni, angherie, divieti...

Non protestò mai, non concesse interviste, non fece polemiche; affermava: «È il caso che fa l'eroe, ma è il valore di tutti i giorni che fa il giusto».

La funzione era lunga, ma i fedeli la seguivano con devozione. Qualcuno aveva raccontato che la sua presenza era annunciata da un sottile odore di viole, ma io, forse perché peccatore, non sentii che il profumo dell'incenso, della cera che brucia, dell'aria pesante che avvolgeva la folla accaldata.

Ognuno di quei cristiani, stretti sotto le navate, aveva da chiedere l'intercessione di quell'umile frate presso il Signore per qualche caso disperato, per un bisogno urgente: mali incurabili, situazioni familiari compromesse o turbate, infelicità senza conforto.

Racconta Lisa Gastoni, una bella attrice che ebbe i suoi giorni di notorietà:

«Non mi sono rivolta a Padre Pio; l'ho trovato, e in un modo abbastanza casuale. Una gita con degli amici tra i quali c'era Carlo Campanini, suo figlio spirituale. Sono andata a San Giovanni Rotondo senza alcun afflato emotivo, niente ricerca spirituale, niente miracoli: ero indifferente, una gita, una curiosità.

«Mi sono trovata davanti questo fraticello, aveva una bocca da bambino, due occhi che sembravano carboni ardenti, di una forza per me magnetica. Io ho avuto un impatto quasi fisico con questo suo amore. Forse la parola amore è stata troppo sfruttata; allora io penso alla tolleranza, al rispetto.»

Quando all'elevazione sollevava il calice verso il cielo, si vedevano le mani ferite dalle stigmate coperte dai mezzi guanti di lana. Alla luce delle candele la figura del cappuccino, ingigantita dalle ombre, acquistava qualcosa di misterioso.

Presto sarà beato: ma aveva anche dei nemici e dei dolori. Soffrì febbri di quasi 49 gradi, un fenomeno della medicina, non mangiava quasi nulla, diceva: «Vorrei soffrire anche di più».

Raccontavano che come sant'Antonio (quello di Padova), aveva il dono dell'ubiquità, stava da due parti, e che quando era giovane il diavolo, travestito da cane nero, gli si era avventato contro. A molti compariva nei sogni e dava notizie e avvertimenti. Tutti se ne andavano consolati.

Anche se i modi di Padre Pio erano bruschi e spicciativi: dicono gli estimatori che egli percepiva quello che uno pensava e l'insistenza lo infastidiva. A una donna che continuava a invocare il suo intervento disse risoluto: «Me lo hai già chiesto cinque volte. Vattene a casa, vedrai che tutto andrà bene».

A uno scienziato che gli confidò: «Padre, io non credo in Dio», rispose per le spicce: «Ma, figlio mio, è Lui che crede in te».

Ogni giorno riceveva migliaia di lettere e centinaia di telefonate, e cinque fraticelli erano impegnati a rispondere in tutte le lingue. Ma riceveva anche tante offerte e con i miliardi raccolti ha voluto fondare un maestoso e modernissimo ospedale.

A San Giovanni Rotondo è fiorita una vera industria fondata sulla speranza e sulle anime: alberghi, ristoranti, una fila di negozi che vendono immagini religiose e ricordini; Gesù percorse la Palestina, ma non prevedeva il turismo.

E anche la reputazione di Padre Pio di Pietrelcina rischiò di essere coinvolta in uno scandalo finanziario che prendeva le mosse dalle speculazioni del «banchiere di Dio» Giuffrè; ci furono interventi del Sant'Uffizio, il monaco venne isolato e qualcuno, con un eccesso di zelo, piazzò perfino un microfono nella sua cella, gli venne impedito di celebrare in pubblico, di avvicinare il popolo, e le questue e gli hotel ne risentirono pesantemente.

Poi tutto ritornò come prima, il padre continuò la solita vita; dormiva tre o quattro ore per notte, si cibava solo di formaggio e di frutta, e accettava un bicchiere di vino per riscaldare il vecchio cuore, trascorreva le giornate nella penitenza e nell'orazione. Conservano ancora un cilicio.

Morì proprio trent'anni fa; seduto su una poltrona, reclinò il capo con un sospiro. Tutto è rimasto come allora: il lettino, il crocefisso, un inginocchiatoio, una finestra: si vedono le fronde verdi degli alberi.

Parlava come i primi apostoli, pescatori o pastori della Galilea: era figlio di contadini ed esortava alla bontà. A certi devoti che lo ascoltavano in estasi diceva: «Guaglio', i santi stanno solo in paradiso».

Non era un oratore suggestivo e neppure molto colto, ma erano tanti i peccatori che volevano confessargli i loro traviamenti. I confratelli si erano opportunamente organizzati; a ogni fedele veniva consegnato un modulo con le istruzioni: prepararsi come si deve e fare un conto, magari approssimativo, delle colpe commesse. Chi non rispondeva all'appello perdeva il suo turno.

Alla fine, era concesso brevemente di uscire dai temi spirituali per le richieste concrete. La domanda di grazie celesti è insoddisfatta e inesauribile.

Prima di morire disse a un amico: «In realtà io resto un mistero a me stesso».

Due volte il cardinale Wojtyla, quando era vescovo di Cracovia, andò in visita a San Giovanni Rotondo. Monsignor Montini si gettò ai suoi piedi e gli
chiese di essere benedetto, ma il frate lo rialzò a forza e gli disse: «Non io devo benedirti, ma voi benedi-
te me. Chiedo al futuro pontefice di darmi la sua benedizione». Sapeva leggere nel «cuore» e nel tempo.

Dicono che mandò un plico a papa Roncalli
che raccoglieva la sua visione sul futuro, ma nessuno sa dove è finito. Ma il Sant'Uffizio, il supremo
tribunale della Chiesa, per quattro volte lo ha con-
dannato: temevano che lui imbrogliasse i fedeli.
Adesso contano migliaia di prodigi: c'è perfino
uno zoppo che, di ritorno dal Gargano, è andato a
ballare fino al mattino.

Renzo Allegri che ha dedicato un libro alla storia meravigliosa del frate, racconta la giornata del
vecchio sacerdote:

«Si alzava alle quattro e si preparava alla messa, che diceva un'ora dopo. Poi pregava e confessava. Cena e pranzi ridotti al niente. E la notte resta un mistero perché, ha confidato a quelli che
aveva vicino, lui la dedicava ad andare a trovare
le persone. Viaggiava per il mondo e andava da
chi lo aveva invocato. E c'è chi testimonia di aver-
lo visto ai piedi del letto e poi di essere guarito.»

Sono andato a trovare il professor Francesco
Lotti, bolognese, sposato, nove figli di cui uno cap-
puccino, primario di pediatria nella casa di San
Giovanni. Gli ho chiesto se crede nei miracoli:

«È qualcosa che può accrescere la fede, ma

non la determina in chi non ce l'ha. Ho frequentato Padre Pio per metà della mia vita, voglio raccontare la storia di un ragazzino di Benevento, aveva nove anni, ed era stato dimesso dagli Ospedali Riuniti di Napoli perché andasse a morire a casa. Era affetto da una forma di epilessia giunta a uno stadio non più controllabile con i farmaci. Il padre, incontrandolo nel corridoio della foresteria dove lo avevano fatto entrare accompagnato dal babbo, gli disse: "Vai a casa del dottor Lotti e fatti dare una di quelle cartine che ha lui".

«La sera precedente, tra le tante cose che gli erano state consegnate dai devoti, c'era un pacco di medicinali che lui passò a me. Erano bustine a base di bromuro, le polverine del farmacologo Cassarini di Bologna.

«Il bimbo era riverso tra le braccia del padre, aveva gli occhi storti, la bocca aperta, perdeva bava e c'era pericolo che si affogasse. Gliene diedi una e consegnai le altre, raccomandando di continuare.

«Dopo un paio di mesi tornò da me la madre con una scatola da scarpe piena di uova. Voleva ringraziarmi: suo figlio era guarito. Da allora è sempre tornata, torna tutti gli anni il 22 settembre. Ci sarà anche quest'anno, nella notte in cui ricorre la morte di Padre Pio e mi porterà, come allora, una scatola piena di uova.

«L'ho conosciuto quando avevo sedici anni. Venni qui con mia madre in occasione della Via Crucis che i bolognesi avevano donato a Padre Pio. Allora non ebbi emozioni particolari: mi confessai da lui, e avevo timore per tutto quello che mi era stato raccontato, vidi le stigmate durante la messa e mi fecero una certa impressione. Ho continuato ogni anno, fino al mio ingresso in Accademia Militare. Fu dopo, e cambiò la mia vita.

«Nel luglio del 1943, terminati i corsi, ero stato destinato al fronte greco: prima di partire feci un salto a San Giovanni Rotondo per avere la sua benedizione. Era la sera del 9 ed eravamo soli in sacrestia.

«Guardando fuori dalla finestra, mi disse: "Vedi quella montagna?". Era brulla, allora. "Un giorno sarà piena di alberi e ci sarà un grande ospedale e tu verrai qui a fare il medico".

«E io: "Padre, ho preso tutta un'altra strada". E lui: "La tua strada è quella". E io: "C'è la guerra, adesso"».

«Il padre: "Due anni dura ancora. Dal terzo potrai frequentare l'università".

«Gli spiegai che il giorno dopo sarei partito per il fronte. Mi guardò severamente: "Facciamo un patto: se non parti, ti iscrivi all'università".

«Tergiversai molto perché non gradivo l'idea di mettermi a studiare medicina, ma per farlo contento accettai. L'indomani al deposito del reggimento fui fermato da un fonogramma del ministero che disponeva di trattenere gli ufficiali in servizio permanente per l'allestimento di nuovi reparti.

«Padre Pio era l'uomo della sofferenza e della preghiera. Un giorno mi avvicinò una persona che frequentava il convento. Voleva confessarsi dal padre, ma temeva di essere cacciato: si era lasciato andare a una scappatella extraconiugale. Lo riferii a Padre Pio. Mi guardò e mi chiese se ero scandalizzato: "Pensa che se Dio togliesse per un solo momento il dito dalla mia e dalla tua testa, noi saremmo capaci di fare molto peggio".

«Altro caso. Uno dei suoi fedeli che veniva ogni mese a trovarlo doveva farsi perdonare un tradimento e aveva pensato bene di fermarsi al convento dei Frati Minori di San Marco in Lamis per confessarsi e arrivare da Padre Pio pulito. Il padre lo incontrò scendendo le scale, lo affrontò a pugno chiuso e lo cacciò via: "Non per quello che hai fatto, ma perché avendo bisogno del medico sei andato dal primo che ti è capitato per strada".»

Il dottor Orazio Pennelli è il direttore sanitario della Casa Sollievo della Sofferenza:

«Sono nato qui a San Giovanni Rotondo, sono stato battezzato da lui, mi ha dato la prima comunione, ho vissuto nella sua ombra. Per me era il punto di riferimento. È lui che mi ha indirizzato su questa professione.

«L'ultimo incontro: tre o quattro giorni prima della morte. Erano le tre del pomeriggio, stava nella veranda, vicino alla cella dove dormiva. Era assorto, pregava. Alzò gli occhi, gli baciai la mano, come al solito, e lui mi chiese: "Cosa c'è?". "Ho finito gli studi liceali e devo scegliere la facoltà." E lui: "Tu che vuoi fa'?" e io: "Ho pensato a medicina, però ho paura perché sono studi lunghi e pesanti". Lui: "Ma tu la capa tieni". Mi benedì; e allora chiesi: "Dove devo andare?". E il padre: "A Modena". C'erano un notaio e un ingegnere, suoi figli spirituali, e mi affidò a loro.

«Aveva fatto una brutta esperienza in un ospedale, durante la guerra del 1915-18, soprattutto per il rapporto umano con i medici. Da qui l'idea di creare questa casa nel Gargano, vicina a un piccolo convento, in un territorio arido e povero. Diceva sempre: "A nulla serviranno le vostre cure se al letto del malato non portate un po' d'amore".

«C'è bisogno di comprensione, di compassione: nel senso etimologico della parola, cioè compatire, patire insieme.

«Tante volte l'ho visto uscire dal confessionale appesantito, quasi portasse la croce di tutti i peccati che aveva dovuto ascoltare durante quelle ore. Non aveva un brutto carattere, ma non amava i compromessi: o era sì o era no.»

La sua cella è rimasta come allora: ci sono ancora le scatole delle medicine, i sandali slabbrati, le piccole e anche insignificanti cose che gli appartennero.

La campana che segnava l'ora delle preghiere chiama sempre a raccolta.

«Tutto è grazia» conclude Georges Bernanos narrando la storia di un semplice prete della campagna francese. Tutto è grazia e silenzio anche nel piccolo chiostro di San Giovanni Rotondo. Restano fuori i rumori del mondo. Qualcuno, in ginocchio, prega davanti a una tomba di marmo che mi è parso azzurro: «Pace».

Un'avventura di Francesco d'Assisi

Una volta, mentre camminava in un bosco nella stagione delle nevi, fu catturato dai briganti, che gli chiesero chi era, e lui rispose che era l'araldo del Signore. Questi allora lo presero e lo gettarono nella neve, e gli dissero:

«E ora stattene lì, rozzo araldo del Signore!»

Molti seguaci, nobili o no, chierici e laici, lasciata la cura per le cose del mondo, lo seguirono, e il padre santo insegnò loro a realizzare la perfezione, imparare la povertà, e camminare per la via della santa semplicità.

JACOPO DA VARAZZE

Un marchese non troppo «divino» e la Santa Casa di Loreto

Il trasporto da Tersat [in Dalmazia] *nel podere di Loreto appare altrettanto fantastico della prima traslazione* [da Nazareth]. *Questo primo trasporto da Tersat ha il suo punto d'arrivo in un luogo vicino al porto di Recanati, a due miglia da Loreto; quindi, quattro mesi più tardi, la detta casa viene trasportata dietro il luogo in cui è oggi il palazzo apostolico, dove rimane. Passano diciotto mesi e, grazie all'opera degli stessi angeli, avviene ancora un trasporto a circa sessanta passi dal medesimo luogo, per evitare, si dice, le liti sorte tra i due fratelli Antichi di Recanati a proposito delle offerte che i pelle-*

grini portavano alla detta Madonna. *Questa nuova prova della detta traslazione sembra confutarsi da sé.*

Quest'incostanza, questa leggerezza non provano certo la saggezza di un Dio che permette lo spostamento di una casa in cui si vuole che si sia fatto uomo per noi; e in tutto questo io riconosco più la mente di un politico italiano che la saggezza di colui e di colei che ne sono l'oggetto.

D.A.F. DE SADE

Hanno detto di Padre Pio

Quando vidi Padre Pio sentii nell'aria un odore di violette che rimase con me anche durante il viaggio di ritorno a Roma.

MARIA JOSÉ DI SAVOIA

... Solo chi percorre il mondo attento a simili realtà sa quanto esteso, universale, fervido – e, al contempo, spesso nascosto, quasi pudico – sia il culto per questo rude figlio di contadini campani, che mai mise piede fuori dai confini del suo remoto convento.

VITTORIO MESSORI

Sono un fervente cattolico e sono anche un fervente devoto di Padre Pio. Nelle mie preghiere mi rivolgo sempre a lui, chiedendogli di intercedere per me e per tutti i miei cari.

MIKE BONGIORNO

Questo è un santo che vorrei fare io.

GIOVANNI PAOLO II

Sono devoto a Padre Pio da mezzo secolo.

ALBERTO SORDI

X
Calabria

«La Calabria si vedeva dalla parte opposta. Infine, l'occhio poté correre liberamente lungo lo Stretto, a nord e a sud, per l'ampia striscia di mare fiancheggiata da rive stupende.»

WOLFGANG GOETHE

«La fuga è il tema della vita dei calabresi.»

CORRADO ALVARO

«A nasu 'e calabrisu 'un ci sta musca.»

DETTO POPOLARE

In quella specie di manuale del perfetto leghista che è *Cuore* di Edmondo De Amicis c'è l'esaltazione delle virtù regionali: ecco il piccolo, indimenticabile, scrivano fiorentino, che ricopiava pagine e pagine tutte le notti (e secondo me dormiva di giorno), poi la vispa vedetta lombarda, che una volta annunciava l'arrivo del nemico, e crescendo è diventata Bossi, che vigila perché teme l'assalto dei «terùn», e se volete un esempio dell'intrepido sangue romagnolo pensate a Pantani.

Ma in quelle pagine lacrimose neppure una è dedicata a un pastore o a un contadino calabrese. C'è, nel racconto di tante disgrazie, la rapida apparizione di «un ragazzo di viso molto bruno, coi capelli neri, con gli occhi grandi e neri, con le sopracciglia folte e raggiunte sulla fronte; tutto vestito di scuro, con una cintura di marocchino nero intorno alla vita [...] come spaurito»: il maestro gli prende una mano e dice ai piccoli mascalzoni che forse sghignazzano: «Vogliate bene al vostro fratello venuto di lontano. Egli è nato in una terra gloriosa, che diede all'Italia degli uomini illustri, e le dà dei forti lavoratori e dei bravi soldati».

In questa descrizione tenebrosa c'è già l'annuncio di un destino: che ne sarà di quell'alunno emi-

grato con la famiglia in Piemonte a cercare un po'
di fortuna? Forse quella scolaresca non sapeva niente dei paesi del Sud, dell'Aspromonte: su quelle
rocce, tra i faggi e gli abeti bianchi si era sdraiato,
ferito a una gamba, come diceva una canzone, Giuseppe Garibaldi: lì si erano rifugiati, ed erano stati
abbattuti in un vallone, i fratelli Bandiera; e lì aveva
il suo rifugio il bandito Musolino, reso celebre dalle
copertine della *Domenica del Corriere* e dalle gesta
narrate da cronisti e scrittori. Questo brigante era
un bel giovanotto che piaceva alle ragazze e che sulle montagne di Calabria consumava le sue vendette.
Adolescente, aveva superato quella prova che consiste nell'abbattere un falco pecchiaiolo, un uccello
rapace che compare nel cielo di maggio. Chi ce la
fa entra nella schiera degli uomini.

Corrado Alvaro, lo scrittore che, con Sciascia,
amo di più, ha raccontato la vita della sua gente iso-
lata, lontana dalla pianura, i bambini che strillano
come passerotti, i mercanti che arrivano dalla marina, qualcuno dà fiato alle zampogne, e tutti pensano
alle donne, e le spose «sono colombe tranquille».

Le statistiche informano che oggi solo in Anda-
lusia se la passano altrettanto male. Ho sorvolato
con un elicottero della Polizia di Stato i monti cupi
descritti da Alvaro: gli alberi stecchiti, le querce sotto le quali pascolano maialetti neri, le tane dove si
nascondono i lupi dal pelo grigio, i banditi e i se-
questrati, le mandrie chiazzano il verde dei pascoli
che la luce del mattino esalta, mentre tra le frasche
ricominciano le corse dei ghiri e degli scoiattoli.

Di quel mondo scomparso non restano che i ricordi. L'elicottero sorvola anche le speranze tradi-
te: Gioia Tauro, il sogno della chimica e il trionfo

Una cattedrale nel deserto

A Gioia Tauro, al Centro siderurgico, che gli esperti consideravano una follia, dovevano trovare lavoro 10.000 persone. Hanno sbancato fiorenti campagne, ma, con tutto questo, di acciaio non si è mai fatta neppure una lametta da barba.

La centrale dell'Enel che dovrebbe marciare a carbone è bloccata, perché nelle trattative per l'impianto si sono già fatti avanti gli amici degli amici. La sola attività che ha veramente prosperato è quella dei sequestri: 350 cittadini di ogni contrada sono finiti negli anfratti dell'Aspromonte, e quasi sempre per la libertà i parenti hanno versato un pesante riscatto.

Cara, amata Calabria di Corrado Alvaro, quanti tristi primati. Taurianova, ad esempio, è il paese con il più alto numero di vedove, con una media di 19 morti ammazzati all'anno. Alla messa della domenica mattina, i banchi delle donne sono una macchia nera. In maggio, in un giorno e mezzo, contarono cinque cadaveri: a uno mancava la testa: gliela avevano tagliata con un coltello da salumiere. La 'ndrangheta ha il suo linguaggio: «una barchetta» è una vita, che naviga già in un mare tempestoso; «una pescata» è una operazione, e per eseguirla è opportuno portare «le canne», lunghe o corte, dipende dai gusti; ma attenti ai «comancheros», che non sono i bianchi rinnegati che vendevano armi agli indiani, ma i poliziotti, detti anche, per la tinta delle vetture, gli «azzurri», che dispongono inoltre, per guardare dall'alto, della «zanzara»: l'elicottero. «Full» significa che il colpo è riuscito.

del ferro arrugginito. Hanno distrutto migliaia di ulivi poi, per fortuna (nessuno può programmare il futuro), il porto è diventato lo scalo di migliaia di container che dall'alto fanno venire in mente le costruzioni di legno dei bimbi.

Nello Stretto ecco le barche che vanno all'inseguimento dei pesci spada: dall'albero un marittimo dalla vista lunga intravede un'ombra tra le onde e lancia l'allarme. Guai se chi maneggia l'arpione sbaglia la mira. Ha spiegato uno scrittore svedese, Pär Lagerkvist: «Si ha un bell'andare di paese in paese, ma non si impara mai tanto come dal mare». Qualcuno ha detto che solamente le acque dello Stretto hanno diviso Alvaro da Verga: lui era un riferimento anche in senso morale.

Non l'ho mai incontrato: lo conosco solo dalle fotografie. È vero che assomiglia a un *mužik* russo. Era un solitario, poco portato al sorriso e rassegnato alla pena che comporta la nostra condizione. Basta leggere *L'uomo è forte*.

Sono andato a Caraffa del Bianco, a trovare don Massimo Alvaro, il fratello prete. Gli assomiglia, anche se i lineamenti sono più minuti.

La chiesa è dedicata a Santa Maria degli Angeli: da cinquantacinque anni don Massimo fa suonare le campane e celebra la messa. La campagna è segnata dagli ulivi, dai fichi d'India e dall'agave: «Quando fiorisce muore» dice il vecchio prete.

E rievoca l'infanzia, il padre maestro elementare che gli insegnava: «Guai a noi quando la coscienza non parla più». E Pirandello che disse all'insegnante Alvaro: «Avete un grande figlio»: don Massimo sperava che Corrado diventasse accademico d'Italia e lo incitava ad aderire al fascismo. Ma lui si schermiva:

«Sono cose che discutono i governi». Oggi qualcuno lo ricorda? Qualche studente, forse, per una tesina.

«La Calabria» ha scritto Alvaro «fa parte di una geografia romantica. Eppure non vi è regione più misteriosa e più inesplorata di questa.»

Le piccole case, con i commerci sulle piazze, accanto al campanile, dove si scambiano attrezzi o stoffe con grano, miele, polli e frutti della terra; e poca gente è garbata come i calabresi, così capita che a uno straniero vengano offerti da uno sconosciuto due bottiglie di un vinello forte. Sui muri manifesti listati a lutto raccontano a tutti il dolore di qualcuno.

«Le feste» scriveva ancora Alvaro «fanno conoscere la natura degli uomini.» Ho assistito a una processione: ogni confraternita ha la sua tonaca, la cotta con i pizzi e i suoi emblemi, e i banchetti odorano di canditi, di zucchero filato, e di sera di acetilene.

E quando sono costretti a emigrare, i calabresi portano con sé le tradizioni, i costumi e spesso ritornano per prendere una sposa.

«Meglio una volta [dice con un sospiro don Massimo], perché anche se c'erano inimicizie e rivalità, c'era anche un grande senso della dignità. La gente ci teneva. Mi ricordo come fosse ieri di uno che vendeva pomodori, e il possibile cliente diceva: "Tanto buoni non sembrano". L'ortolano rispose: "Allora non te li dò, perché io li vendo solo se sono buoni". Non glieli diede. Non lo consentiva il suo decoro. Tenevano più al nome che al guadagno. Queste scarpe chi le ha fatte? Mastro Andreuccio. Giù al cimitero ci sono tante tombe tirate su dai mastri muratori antichi con tanto equilibrio, come se fossero ingegneri. Per la buona reputazione.»

Corrado Alvaro non ha vissuto la Calabria della 'ndrangheta, della società mafiosa. Accanto a una falsa modernità si è scatenata la violenza criminale. Il mondo di Alvaro era legato alla antica civiltà rurale, ma le sue esperienze erano europee: Berlino, Parigi, il viaggio in Russia. Confessò: «Ho avuto sempre e soltanto in mente di salvarmi come scrittore, di passare senza viltà da tanti anni di prova davanti a me stesso».

C'è dunque la Calabria delle faide, dei traffici proibiti: armi, droga, dei rapiti che spariscono nella Locride, degli appalti e della politica sporca. A Oppido (abitanti 5400, sette chiese, nessun teatro, niente cinema), scoppia nel 1992 la guerra tra la famiglia Gugliotta, legata ai clan dei Barrigo e dei Tallarita, e quella degli Zumbo. La posta: controllo del territorio, che vuole dire il potere delle estorsioni.

C'è un rituale barbarico che prepara la vendetta: Rita Tallarita, sulla via di Oppido dove hanno accoppato il marito, si cosparge con il sangue del morto. Sarà fatta pagare. Negli armadi sono appesi i vestiti degli assassinati con i buchi dei proiettili: fino a oggi si contano una ventina di vittime, tra questi una bambina, Mariangela Anzalone, e il nonno Giuseppe, che passavano per caso durante una sparatoria. Così muore il bambino americano Nicholas Green, sull'autostrada Salerno-Reggio Calabria.

Sono andato a trovare la baronessa Teresa Cordopatri: di lei parlarono anche i giornali degli Usa. Era vessata dalla 'ndrangheta: ammazzato il fratello, perseguitata per decine di anni, ha respinto le

I giovani della 'ndrangheta

Scrive Corrado Alvaro: «I mafiosi, forti della violenza, acquistavano un rango sociale. Disprezzati fino a ieri, diventavano terribili; quando una società dà poche occasioni di cambiar stato, o nessuna, far paura è un mezzo per affiorare».

Forse anche per questo imperversano le bande dei delinquenti *babies*: cominciano vendendo sigarette di contrabbando, rubano le radio dalle automobili, poi crescono le pretese e le esperienze.

Sono bei ragazzi dalla faccia d'angelo, tuta sportiva, capelli impomatati di gel, motocicletta giapponese e tante catene e bracciali d'oro, più eventuale orecchino; i ragazzi seguono la moda e l'insegnamento dei competenti: si può vivere spaventando i negozianti e spacciando la droga.

richieste della camarilla dei Mammoliti. Già raccolgono le olive, e non danno niente ai padroni, ora vorrebbero le masserie: pagamento con assegni che sarebbe molto rischioso considerare esigibili. I messaggi erano chiari, un fittavolo l'aveva avvertita: «Saro, si non ci dati a terra, mmazza vui e i vostri figghi». E così Tonino Cordopatri viene ucciso, ma Teresa e la cugina Angelica salgono sulle macchine, manovrano i frantoi, resistono.

La baronessa Teresa Cordopatri racconta:

«Abbiamo avuto molte ritorsioni, abbiamo subìto cose incredibili. Ci guardavano sbalorditi: due donne hanno buttato fuori i Mammoliti. E perfino molti processi erano finiti bene per loro in Calabria. Angelica, mia cugina, guidava il trattore: l'ha imparato in sette minuti. Io con i motori sono negata, ma con gli attrezzi che ci ha dato lo Stato, ho zappato settecento piante e raccolto le olive, noi due sole, e caricate cassette da ventisei chili. Certamente è la forza della disperazione. E i poliziotti, i giovani della scorta dicevano: "Mia mamma non lo potrebbe fare".

«Era questione di non darla vinta alla mafia. Certo, mio fratello è morto: e si pensava che a tanto non arrivassero. Denunce ce ne furono molte, ma evidentemente qualche maresciallo distratto dimenticò di inoltrarle.

«Essere proprietari qui vuol dire essere esposti a rischi continui per non ricavarne niente. Solo sacrifici.

«Cominciano con richieste quasi accettabili, poste da mafiosi, e poi da persone completamente fuori dal loro ambiente. Prima avevano rispetto dei possidenti, e le beghe erano per la guardianìa, tra di loro, per la protezione della proprietà. Tranne mia cugina, nessuno mi è stato vicino, nessun amico, soprattutto, nessun parente. Nessuno. Siamo stati completamente isolati, da amici prima, poi i cari congiunti cominciarono a diradare le visite.

«Oggi killer e mandanti sono stati definitivamente riconosciuti colpevoli dell'omicidio di mio fratello Antonio Carlo Cordopatri. Io ho subito collaborato con la giustizia, con la polizia e i carabinieri, perché ho in loro una incondizionata fiducia.

«Ma devo rispondere di diffamazione per

avere ripetuto quello che a Reggio Calabria tutti dicono liberamente. I giornali parlano del tribunale come del "Palazzo dei veleni": la sonnolenza dello Stato ha permesso la connivenza tra mafia, magistratura e politici. Mi sono rivolta al Csm e ho chiesto che vigilasse: non ho accusato nessuno. Dopo trent'anni di angherie, distruzioni, danneggiamenti, solitudine, con il calvario di mio padre e dei miei fratelli e la morte di Antonio Carlo, perché rifiutò di andare dal notaio a sottoscrivere un atto di vendita. Abbattuto davanti al portone di casa.

«C'ero anch'io. E dovevo essere uccisa: ma si è inceppata l'arma, per cui purtroppo, per me e per la mafia, sono uscita illesa.

«Ma ormai la mia giornata è blindata. Ho la Guardia di Finanza che mi scorta. Sì, ho paura. Come si fa a non averne? Tanti attentati. Mi hanno promesso che mi avrebbero tagliato la lingua e cavato gli occhi, perché ho parlato e riconosciuto gli assassini.

«Quando sono andata in campagna per lavorare la terra che dal 1100 è della mia famiglia, e lo dico con molta modestia, senza arroganza, una persona a volto scoperto mi ha affiancato per la strada e mi ha detto: "Ha voluto fare l'uomo. Bene: morirà da uomo, 'incaprettata'". Certo, mi fa paura, ma non vivo, grazie a Dio, nella paura.

«La 'ndrangheta non sarebbe invincibile. Lo è perché lo vogliamo noi. Sono le nostre apprensioni, i timori che la rendono forte. Se le forze dell'ordine fossero tutte (molte lo sono) all'altezza della fiducia dei cittadini, con processi giusti e pene severe, certi pensierini certe persone non li farebbero. Chi è minacciato non deve subire: deve denunciare subito e tutto. La paura degli onesti è la forza della mafia. Non bisogna farle da padrini.»

Ho conversato con Vittorio De Seta, il regista di bellissimi documentari cinematografici tra i quali, fortissimo, *Banditi a Orgosolo*. È tornato a vivere nella sua terra:

«Non mi trovavo più in città [spiega], non avevo più un punto di vista. E siccome ho sempre pensato che un autore, se vogliamo, dovrebbe interpretare la realtà, se non ha più una visione delle cose, è meglio che si metta da parte, che stia zitto.»

– Chi è un calabrese?

«Il calabrese ha un carattere molto chiuso, introverso. Ha molto ritegno, molto pudore. Non si vende bene. Poi c'è anche il fatto che, con la conquista regia del 1860, siamo stati scippati di ogni identità. E questo si è risentito. Adesso, con il tempo, credo che il fatto di esserci compromessi di meno con la civiltà industriale può diventare anche un punto positivo.

«Praticamente, si può dire dall'epoca dei romani, dopo la Magna Grecia, siamo sempre stati tagliati fuori.

«Credo che Garibaldi ci mise quindici giorni per passare la Calabria. Gli americani, nel '43, una settimana. Siamo sempre stati schivati dalla storia, come se si vivesse in una dimensione fuori dal tempo.»

Il capitano dei carabinieri Oresta è un romano in servizio in Calabria; mi ricorda il protagonista di un romanzo di Leonardo Sciascia: il capitano Bellodi, quello de *Il giorno della civetta*, che trasferito a Parma attraversa la città «incantata di neve silenziosa deserta». E pensa che in Sicilia le nevicate sono rare, si sente confuso, ma crede di amare quei luoghi e che ci tornerà. «"Mi ci romperò la testa" disse a voce alta.» È la conclusione del libro.

– Anche lei, capitano Oresta, come il capitano Bellodi in un romanzo di Sciascia, vuole capire: cos'è la 'ndrangheta, oltre a una associazione criminale, una cultura, un sistema di difesa?

«Può essere: il sistema di difesa di un asserito diritto a intervenire su un territorio, che si serve ovviamente di una mano forte, di una organizzazione delittuosa.»

– Mafioso si nasce o si diventa?

«Credo che si diventi.»

– Un uomo d'onore chi è?

«Non esiste più. Si può pensare che sia uno che ha il rispetto dei suoi concittadini.»

– Voi come siete visti?

«Come servitori dello Stato che cercano di fare quello che possono.»

– Siete qui per difendere i cittadini. Ma da chi siete difesi?

«Noi sentiamo molto vicina l'autorità giudiziaria, e anche i sindaci di queste zone, che sono per lo più persone molto per bene, e amano molto la loro popolazione e i loro luoghi. E anche la Chiesa.»

– Sarà possibile vincere questa battaglia?

«Spero di sì.»

Monsignor Giancarlo Bregantini è vescovo di Locri. È arrivato in Calabria da Trento, con la madre che lo accompagna nella sua missione. Gli ho chiesto come è stato accolto:

«In modo straordinariamente caloroso, anche se segnato da un episodio un po' originale. È stata messa una finta bomba sotto il palco che ha creato un po' di giallo. Ma il tono di fondo è stato di grandissima solennità.»

– Pensa che nel suo gregge, tra le pecorelle, ci sia anche qualche lupo?

«Sì, e tanti.»

– Mai avuto a che fare con la 'ndrangheta?

«No, non in maniera diretta, ma attraverso incontri di dialogo con i sacerdoti che vivono in prima linea.»

Monsignore, che ha spirito pratico, ha creato cooperative agricole, legate a quelle trentine: quando al Nord nevica qui c'è il sole. Non vuole contrapporsi in maniera diretta alla mafia, ma vuole creare alternative che incoraggino la speranza. Nel suo passato c'è anche una esperienza da operaio.

«La cosa che umilia di più l'uomo [dice] è la mancanza di lavoro, perché gli crea un senso di non dignità. E di conseguenza un uomo è svenduto o facilmente vendibile al primo acquirente.

«La virtù dei calabresi è l'accoglienza. La prima parola che ho imparato da loro, ventidue anni fa, venendo in treno con un amico, quando ci siamo trovati senza pane, perché il viaggio era più lungo del previsto, è stata: "Favorite". La famiglia che viaggiava con noi, eravamo due studenti, prima di darne una fetta al loro bambino la porse a noi. Ecco, la parola più bella di questa terra è "favorite".»

– Cristo si è fermato a Eboli o ha proseguito?

«Ha proseguito. Nella realtà di questa gente c'è Cristo, come c'è nella storia dei santi, tanti, come in questa cattedrale di Gerace che testimonia una speranza e un orgoglio di cui sono fieri i calabresi. Avremmo bisogno di tanti don Bosco.»

Sulle montagne di San Luca c'è il santuario di Polsi: alla fine di agosto migliaia di pellegrini si ritrovano lassù per festeggiare la Madonna. C'è uno sterminio di capre che vengono arrostite nei prati e si svuotano botticelle di vino. C'è chi urla invocando la grazia: «Madonna, ascolta, fallo parlare», e c'è chi chiede la pace. «Il bosco» ricorda Alvaro «è un incendio di lumi e di lampi di fucili».

Suona la banda, i ragazzini corrono e gridano, forse stanotte il cielo si riempirà di girandole e di scoppiettii, che però si spegneranno. Scrive ancora Corrado Alvaro: «È una civiltà che scompare e su di essa non c'è da piangere, ma bisogna trarre, chi c'è nato, il maggior numero di memorie».

Una sera sul fiume

Ora che le sere sono lunghe, le spallette del fiume sono piene di coppie. Si confondono con gli alberi, si sporgono sul muricciolo verso l'acqua, sentendo sul viso accaldato la brezza che risale la corrente. Si spingono, si premono. La donna è come un avversario ridotto con le spalle al muro in un duello. Ma non tutti, ve ne sono capaci di rimanere in mezzo al marciapiede tenendosi abbracciati come scolpiti insieme; non si curano di chi passa: l'uomo tiene la donna in tutto il giro delle braccia, quasi aggrappato ad essa, divenuto infantile. Sottolineate da quelle braccia le forme della donna, le spalle, i fianchi, il seno, sembrano materni, e l'uomo sta là come un mostruoso bambino. Se si intravedono in viso, lei sorride assennata e superiore nel momento in cui è veramente importante, in cui è felice perché è tutto; lui col viso solcato di pensieri, ma per un momento assente, in riposo, come nello spazio d'un viaggio. Nella sera che il fiume è fosforescente e sembra uscire dal suo argine tanto è luminoso, si vede lungo la spalletta del fiume tutta questa gente. Ci sono donne che si sporgono come dal parapetto d'una nave. Sembra si sentano male. L'amore, a chi lo vede negli altri, può dare impressioni simili, di malessere e di malattia. E vi sono di quelle che si fanno baciare stando diritte come piante; guardano a testa alta l'uomo che cerca di raggiungerle e chiude gli occhi come chi si inganna. Ci sono anche uomini coi capelli grigi e donne mature; invecchiati amando.

CORRADO ALVARO

Meditazioni popolari sulla morte

'U muorto jaci e lu vivu si dà pace.

L'erva chi non voi ti nescia all'orto e l'omo chi voi mortu è sempa vivu.

'A megghiù morta è 'a subitania.

Morta desiderata 'on vena mai.

Mora nu papa e n'atru papa fannu.

Quandu vena l'ura, né medicu né ventura.

Si sapa duva si nescia, nun si sapa dove si mora.

Un incontro in Aspromonte

Niente al mondo è probabilmente più pittoresco di un calabrese in cui ci si imbatta alla curva di una strada, nella radura di un bosco. Il lungo stupore di quegli uomini armati fino ai denti nel vedere noi in parecchi e bene armati era da morire dal ridere.

STENDHAL

Una riflessione su un sentimento «anche» calabrese

Il sentimento della vendetta è così grato che spesso si desidera d'essere ingiuriato per potersi vendicare, e non dico già solamente da un nemico abituale, ma da un indifferente, o anche (massima in certi momenti d'umor nero) da un amico.

GIACOMO LEOPARDI

XI
Sicilia

«Dei siciliani si potrebbe ben dire che la parola "impossibile" non esiste nel loro vocabolario.»

STENDHAL

«*Siciliani*: presi a uno sono simpatici.»

VITALIANO BRANCATI - LEO LONGANESI

«Sedi, sedi, figlia, sedi, cà megghiu ventura veni.»

DETTO POPOLARE

Goethe, per cominciare, va sempre bene: «L'Italia, senza la Sicilia, non lascia alcuna immagine nell'anima: qui comincia tutto».

È vero. Guarda la storia. Proprio il 12 marzo 1909, a Palermo, in piazza Marina, quattro colpi di revolver stendono a terra, avvolto nel cappotto troppo lungo, Joe Petrosino, detto Dago.

È un detective arrivato da New York per indagare sulla malavita italoamericana. Piccolo, forte, la faccia segnata dal vaiolo, «faceva pensare al mastino», scrive Luigi Barzini, un famoso giornalista di allora.

Ho conosciuto Falcone e Borsellino: Falcone aveva una figura tonda e un volto sorridente, due occhi ironici; uno come Borsellino lo potevi incontrare con l'ombrello al braccio e il *Times* che spunta da una tasca anche nei dintorni della City: un distinto gentleman. Anche loro indagavano sul vecchio problema: accoppati tutti e due. Qualche targa stradale, qualche commemorazione, come si addice ai bravi servitori dello Stato.

Difficile capire l'Italia, quasi impossibile la Sicilia, un'isola abitata da italiani esagerati. Ci sono

Il presentimento di un giudice

Ero a cena con Giovanni Falcone e con Francesca Morvillo una sera del 1987, in casa di un amico, Lucio Galluzzo, a Palermo: a mezzanotte andarono a sposarsi.

«Come due ladri» dissero poi, solo quattro testimoni, così vuole la legge. Uscivano da tristi vicende sentimentali e si erano ritrovati, con la voglia di andare avanti insieme, fino in fondo, fino alla strada che dall'aeroporto conduce in città.

«Perché non fate un bambino?» chiesero una volta a Giovanni. «Non si fanno orfani» rispose.

sempre due facce da decifrare, due possibilità. Quando Joe Bonanno, detto Banana, capo della «famiglia» mafiosa di Brooklyn, sbarca da un aereo a Roma, tra quelli che lo ricevono in pompa magna c'è anche un ministro dc, Bernardo Mattarella. Tempo dopo Cosa Nostra ammazza Piersanti, un suo generoso figliolo.

Tutti conoscono la Sicilia degli itinerari turistici o quella un po' ironica e misteriosa dei film e dei racconti: le pianure calcinate e le montagne aspre dove si va a cacciare il coniglio selvatico, e i palazzi dei baroni con i quadri, le porcellane e i mobili preziosi arrivati anche dalla Cina, e alle pareti i ritratti degli antenati: duri funzionari borbonici o sorridenti e bionde fanciulle britanniche, che seguendo i marinai di Nelson erano venute ad accasarsi nell'isola.

Ci sono due mondi e due, o forse più, realtà che non si incontrano mai. Una sera sono stato invitato a cena in un circolo esclusivo, a Mondello. Un gruppo di professionisti intelligenti con le loro eleganti signore.

Mi sembrava una scena ispirata da Kipling, un party tra residenti in India, smoking e decorazioni, e mi sentivo magari ospite del grande Gatsby: il vento muoveva appena gli ombrelloni, l'erba sembrava bianca sotto la luce dei riflettori che illuminavano le lucide schiene abbronzate delle signore, mentre il pianista suonava quella canzone che dice: «Que sera, sera».

E il solito Goethe aggrava ancora la situazione: «Conosci tu il paese dove fioriscono i limoni?». Già: chi sa qualcosa di preciso?

Comincia il paesaggio a confondere le idee: i sicomori, come nel Sudan, e il papiro, come in Egitto, e poi le palme e i cactus che evocano il deserto, e il poeta russo Andrej Belyj resta sconvolto dallo stridore delle cicale e dal tripudio dei colori: il giallo dello sparto, il rosa del rododendro e dei grappoli di tamerici e il verde dei carrubi.

Più tardi arriva Tomasi di Lampedusa e complica ancora il discorso dal punto di vista psicologico: «Cambiare tutto per non cambiare niente». Siamo seri: ma che cosa hanno da conservare?

Hanno pochissimo reddito e moltissimi consumi. Manca tutto: strutture, servizi, industrie, ma non soldi. Davanti alla chiesa c'è un solo mendicante: va rispettata la divisione del territorio. E trovarono perfino uno spazzino che subappaltava a un altro «operatore ecologico» un pezzo di marciapiede.

Se uno a Palermo dice: «Sono a vostra disposizione», per me è un signore molto cortese, ma ti avvertono: «Può essere anche un socio di Cosa Nostra».

Se uno a Venezia dice: «Servo suo, chel comanda», è invece soltanto molto gentile.

«Non c'è speranza» mi spiegò una volta un amico. Spero che qualcosa cambi anche nel Dna della gente, che forse sta mutando, mi ha detto lo scrittore Camilleri. E mi spiegavano il vecchio gioco della politica: quando le cose si mettono proprio male arriva il soccorso nazionale. Roma interviene perché i voti dell'isola diventino voti suoi. Ecco un primo scambio di favori. Le persone hanno bisogno e il bisogno crea una dipendenza. Il potere in Sicilia è muto: chi parla non conta. Non dà ordini ai suoi: devono capire.

Ci penso. Me lo diceva anche Buscetta: quando due dei «nostri» si trovano in un commissariato di polizia, non importa che chiacchierino: si guardano e si capiscono.

Su cinque milioni di abitanti quasi uno lavora nel settore pubblico: Usl, enti, regione, comuni, provincia e allora è importante, come del resto ovunque dalle nostre parti, «conoscere qualcuno», ma di quelli che contano, e bisogna tenerselo buono. Che cosa si legge ne *Il Padrino*?: «Gli fecero una proposta alla quale l'altro non poteva dire di no». Se davanti alla vostra porta trovate un mazzo di fiori pensate magari a un omaggio; in Sicilia è un avvertimento. E pagano anche gli innocenti. C'è in prigione un uomo che racconta come ha strozzato un ragazzino colpevole di essere figlio di un concorrente, di un'altra cosca: lo prese alle spalle e strinse, senza vedere lo sgomento in quegli occhi innocenti.

Ho visto a Catania Nico Querulo, cinque anni,

ferito agli occhi (è ormai cieco per sempre) mentre galoppava sul suo cavallino, da colpi di pistola sparati durante un regolamento di conti. Dovevano punire due compari che non avevano versato al clan l'incasso di alcune estorsioni.

Un tale Luciano Trovato ha confessato di aver ucciso con due colpi di pistola alla nuca la nipote Annalisa, venti anni, perché frequentava giovani di una camarilla nemica. Una faida scoppiata nel 1991 a Catania ha mandato al cimitero in cinque anni oltre 500 morti ammazzati.

Molti i condannati all'ergastolo in luglio per l'uccisione di un ispettore di polizia e del giornalista Giuseppe Fava. L'organizzatore degli assassinii è l'ex cassiere di un distributore di benzina, che mi descrivono come un bravo e mite giovane di buona famiglia, che ha partecipato anche a una strage: quattro abbattuti con una raffica. Gli ordini delle esecuzioni arrivano dal carcere, via telefonino Gsm gentilmente concesso ai boss da due agenti del penitenziario.

Tanti rimpiangono l'«onorata società» del passato che garantiva un certo ordine. Rispettava, ad esempio, le donne e i bambini. La sua forza erano le regole; un genio quello che le aveva inventate. Esistevano anche tra i criminali; non ci sono più. La mafia è diventata moderna: è passata dal «pizzo», l'estorsione, al ruolo dell'impresa, agli affari. Fa circolare tanto denaro.

Non è un fattore ereditario, non è un carattere genetico, ma un retaggio storico. Qui hanno combattuto in tanti – arabi, spagnoli, francesi ... – perché come spiega un detto locale: «La volpe piscia

Mafia a Gela

Gela era una ordinata società contadina ed è diventata un caotico centro industriale.

È arrivata la petrolchimica, un grande stabilimento, e ha sconvolto riti e usanze. Per trovare un alloggio e un riparo hanno costruito senza una regola: non ci sono fognature, non c'è una discarica, non c'è un posto dove i giovani possono incontrarsi.

Quando è entrato in vigore il condono edilizio, hanno incendiato il municipio.

Diario di una giornata: 27 novembre 1990.

Sono le 18.55. Tre killer quasi imberbi, con un fucile e due pistole, fanno irruzione nella solita sala dei videogiochi.

È un attimo: abbattono due ragazzi, che sono il loro bersaglio, e uno che non c'entra.

Ore 19. Un altro commando, sempre adolescenti, o poco più, piomba davanti a una bottega di pescivendolo e stende tre persone.

Le consuete chiazze di sangue raggrumato, le labili sagome disegnate con il gesso.

Ore 19.15. Sotto una raffica cade Luigi Bianco, trent'anni.

Un quarto d'ora dopo tocca a Giuseppe Rinzivillo, forse collegato a un superlatitante.

Il giorno dopo i carabinieri scoprono un covo di otto stanze che contiene un'intera e sofisticata armeria.

Nel rifugio arrestano il padrone di casa e Carmelo Rapisarda e Silvano Pistola e poi, dopo una sparatoria, Emanuele Antonuccio.

Tutti incriminati per strage mafiosa.

Nella prigione di Termini Imerese ho conversato con Silvano.

Un colloquio imbarazzato, e anche assurdo.

Con uno che parla per non dire niente.

Sa che con un sasso, o con i genitali, si chiude la bocca a chi ha detto troppo.

– Perché è stato arrestato?

«È normale.»

– Non mi sembra, ma c'è una ragione?

«Per il fatto del processo, ma non vorrei parlarne.»

– Non ne parliamo. È mai stato in prigione?

«Sì, una volta.»

– Perché?

«Offese a poliziotti.»

– Cosa manca a Gela: i soldi?

«Prima di tutto.»

– Qual era il divertimento che preferiva?

«Il sabato sera andavamo a ballare.»

– C'è qualche personaggio che le piace nella vita, nello sport, nel cinema? Qualcuno a cui vorrebbe assomigliare?

«Io sono fiero di quello che sono. Non vorrei paragonarmi a nessuno.»

– È soddisfatto di sé?

«Sì.»

– Pensa di avere sbagliato qualcosa?

«No, mai.»

– Mai fatto errori?

«No.»

– Mai sparato?

«No.»

lontano dalla sua tana», e bisognava difendersi dagli schizzi. È la legge della sopravvivenza.

Chiesi a Tommaso Buscetta chi è un «uomo d'onore». Risposta: «Uno che non si può offendere o schiaffeggiare. Uno con il quale si può discutere ed eventualmente sparargli. E poi una persona che non mente: non ha interesse a farlo. Le bugie si ritorcerebbero contro di lui».

Forse la parola più usata in Sicilia è «favore». Tutti collaborano alla elargizione di appoggi e di sostegni. «Noi» spiegava Elio Vittorini «siamo un popolo triste.»

Andai una volta all'obitorio seguendo la triste vicenda di uno sconosciuto di cui avevo visto la sagoma tracciata con il gesso sul marciapiede, sulla quale i ragazzini giocavano saltellando: fui accolto da un sorridente custode e da un penetrante odore di pasta con le sarde. La vita, quando può, continua.

Qualche volta ti sembra che il tempo si sia fermato: quando senti gli urli dei pescatori che avvistano il passaggio dei tonni, ripensi a Verga e ai suoi Malavoglia: non c'è più la barca *Provvidenza* di Padron 'Ntoni, quelli di Aci Trezza se ne devono sempre andare «pel mondo, il quale è tanto grande» e soltanto il mare «par la voce di un amico», e i vecchi marinai, come il leggendario Achab, inseguono sempre Moby Dick, la mitica balena bianca, che può anche avere la coda biforcuta del tonno.

Ha scritto poco prima di morire Leonardo Sciascia: «Forse tutta l'Italia sta diventando la Sicilia». Penso a Tangentopoli e al capitano Bellodi, il protagonista de *Il giorno della civetta* che ragiona su quello che si dovrebbe fare per battere la mafia: «Bisognerebbe, di colpo, piombare sulle banche; mettere mani esperte nella contabilità, generalmente a doppio fondo, delle grandi e delle piccole aziende; revisionare i catasti». Come era intelligente Leonardo Sciascia, e come sapeva leggere la cronaca e anche prevederla.

Chi sono i siciliani? C'è un ritrattino tracciato dal messinese Scipio di Castro, negli *Avvertimenti* (seconda metà del secolo XVI), un bel volume pubblicato dalla benemerita Elvira Sellerio: «La loro natura è composta da due estremi, perché sono sommamente timidi mentre trattano gli affari propri e di una incredibile temerarietà dove si tratta del maneggio pubblico».

Ma per tratteggiare un attendibile profilo è opportuno aggiornare i giudizi. Pirandello: «Una istintiva paura della vita», ovvero la propensione al dubbio; Brancati, ovvero l'ossessione del sesso: «I sogni e la mente e i discorsi e il sangue stesso perpetuamente abitato dalla donna»; Sciascia, ovvero l'individualismo: «Ognuno è e si fa isola a sé».

Ogni tanto qualcuno scompare: in un anno contarono 33 persone sparite nel nulla: cemento, sotto le foglie marce di un bosco, in fondo al mare.

Contarono anche cinquanta omicidi, uno dietro l'altro, inesorabili. Mi spiegò un medico legale: «Ti rimane dentro e ti segue l'urlo, il pianto dei parenti. Disperato anche quello delle mogli o delle madri degli assassini; qualcosa di ancestrale».

Gridano dappertutto le donne, che siedono sui gradini, davanti al portone, con i bambini che corrono attorno o guardano silenziosi e stupiti quella costernazione. Del resto nei quartieri poveri gioca-

Scrittori di Sicilia

Quando lavoravo a *Epoca*, ogni sera Elio Vittorini scendeva dalla casa editrice e parlava soprattutto di politica. In quegli anni, non piaceva a Togliatti, e la sua polemica continuava nelle chiacchiere di redazione. Lo prendevamo in giro perché aveva recitato una particina in un film di Castellani; ma si giustificava con un valido argomento: che il compenso gli avrebbe permesso di sistemare i denti. Mi pareva che si portasse dietro quell'odore di arance che vien fuori dalle pagine di *Conversazione in Sicilia*, un libro letto da ragazzo e che, con *Americana*, mi aveva aiutato a guardare al mondo libero dalla mediocre rettorica di quei tempi. Era molto gentile e aveva il gusto della scoperta: ed è una dote che possiedono soltanto i generosi.

Ho amato Vitaliano Brancati: ci sono delle sue notazioni che si son fissate nella mia memoria. Mi ero fatto raccontare, da colleghi della *Stampa*, gli ultimi giorni che passò a Torino, prima di entrare in sala operatoria. Ho pensato, leggendo le lettere che scambiò con Anna Proclemer, che qualche volta il destino è ironico e qualche volta premonitore: il tram che passava sotto la sua finestra portava al cimitero. Spero che non lo abbia mai notato. Ammiravo il suo talento e il suo carattere: si era sempre vergognato per aver messo, nel suo dramma *Piave*, una battuta compiacente per Mussolini.

Avrei dato molto per poter avvicinare Giuseppe Tomasi di Lampedusa: il libraio Flaccovio mi disse che passava ogni mattina dal negozio, e portava con sé una borsa dalla quale spuntavano libri e lattughe, e forse dentro c'erano i fogli che narravano le avventure del Gattopardo, che scriveva a un tavolino del caffè Mazzara. Ho riletto il volumetto raro e gradevolissimo di Francesco Orlando che rievoca i suoi incontri con il principe: questo vecchio grasso, fiero e distante, che ha coscienza del suo ruolo e che difende la sua impenetrabilità. È cresciuto leggendo Molière, e non *Topolino*, e nel cadente palazzo di via Butera apre la porta un antico e superstite cameriere, Giubino, in livrea bianca, ma le grandi sale deserte sono appena scaldate da una stufetta a gas. Non è cordiale nei suoi giudizi: «Non c'è città in cui si fotta meno che a Palermo», le corna «sono il perno attorno a cui gira tutta la vita», non apprezza «quella prontezza di spirito che in Sicilia usurpa il nome di intelligenza». È un uomo senza speranza: «Tutto si termina quaggiù», è pervaso da scetticismo: «Bisogna sempre lasciare gli altri nei loro errori».

E qui viveva Leonardo Sciascia, a mio parere la coscienza più viva della nostra letteratura, uno che si comprometteva, un moralista che trovava consolazione nella sua solitudine. Lo incontravo quando veniva a Milano, e sono stato a trovarlo nella sua casa di Racalmuto, costruita in cima alla trazzera, accanto a quella, cadente, che era dei suoi. Quelli del paese lo rispettavano: gli portavano frutta e latte, e conversava, di sera, con un professore, e passava le ore leggendo e passeggiando, e lo scrivere era come una vacanza. Il suo telefono non suonava mai, ignorava la televisione. Si possono condividere o meno le sue idee, e non ritengo che pretendesse l'infallibilità, ma si può essere certi che non nascondeva calcoli od opportunismi.

no alla polizia, e sanno come finiscono le vittime del Kalashnikov.

Come cambiano le storie di questo paese. Quanto tempo è passato da quando il cardinale di Palermo, Ruffini, protestava con Paolo VI con uno sdegnato messaggio: «La mafia non esiste. Mi meraviglio che in Vaticano ci credano. Come in Alto Adige salta qualche traliccio, qui a Palermo c'è qualche morto».

Il suo successore Pappalardo andò a celebrare il sacrificio dell'altare all'Ucciardone; le sue omelie contro gli «uomini d'onore» non erano piaciute. Solo il direttore e le guardie ascoltarono quella preghiera. La messa, per i detenuti, era finita.

Che caratteri. Assomigliano all'Etna, il grande vulcano che i catanesi hanno saputo affrontare nei secoli senza mai piegarsi alla crudeltà della natura. Più complicato combattere quelle della politica. Un giorno arrivò anche la mafia: lo rivelò un giornalista coraggioso, Giuseppe Fava, e lo ammazzarono.

Catania non era più la Milano del Sud, anche se quattro cavalieri che avevano portato l'industria erano diventati famosi: Costanzo, Rendo, Graci e Finocchiaro. Comandava, dietro le quinte, Nitto Santapaola. E la Catania ironica di Brancati era diventata torva.

Da Roma smisero di mandare tanti soldi e finì anche l'epoca d'oro degli appalti: dilaga la disoccupazione (davano lavoro a quasi 20.000 persone) e finisce in tribunale la grande abbuffata.

Sicilia crudele, che uccide anche con le parole, perché c'è chi predica la filosofia del sospetto. Difficile raggiungere certezze. Si combatte a colpi di voci, dossier, indiscrezioni, smentite, verbali, versioni ambigue, particolari esasperati fino a diventare indizi. Non si salva nessuno. «La mafia non esiste, è un'invenzione dei reporter» spiegava un esperto, Joe Adonis.

Adesso si punta alla ripresa: l'università ha più di 50.000 iscritti. È all'avanguardia nella microelettronica guidata da Pasquale Pistorio, che il *Financial Times* considera uno dei cinque migliori manager internazionali. Resiste il prestigio del Teatro Massimo e l'amore per quello di prosa: che vanta i nomi di Angelo Musco, Giovanni Grasso e Turi Ferro.

Poi ci sono i quartieri degradati, ma tutti si ritrovano, nelle piazze e per le vie, per celebrare sant'Agata, la patrona della città, tra fuochi pirotecnici che si spengono nel mare, e processioni fastose, tripudio di ori e argenti attorno alle venerate reliquie.

Sono andato a trovare, nella sua casa sulle pendici dell'Etna, un famoso personaggio dello spettacolo, Franco Battiato, cantante e musicista: «Sono per natura un contemplativo. I profumi, l'aria sono per me come il telecomando che spegne il mondo. Chi è un siciliano? È una specie di sintesi di storie che ci hanno preceduto. Non c'è una razza. Esiste il non fare dei siciliani, quello che abbassa e non alza».

Ho fatto visita a Francesco Alliata, principe di Villafranca, che appartiene a una delle più antiche famiglie italiane: è l'inventore delle riprese cinematografiche subacquee; ma è anche un bravo imprenditore: ha lanciato, con il marchio Duca di Salaparuta, sorbetti di agrumi che hanno invaso anche i supermercati americani. È padre di Vittoria, scrittrice e islamista, e zio di Dacia Maraini. Produsse il film *Vulcano*, la risposta di Anna Magnani a Roberto Rossellini, il traditore che l'aveva piantata per Ingrid Bergman, e a Stromboli girava una storia d'amore tra la diva nordica e un bruno pescatore.

Il principe non crede che l'aristocrazia oggi abbia un qualche peso, anzi:

«È stata considerata come una razza squalificata, da ignorare e da abbattere. Del passato, con le sue tradizioni, rimangono esempi, suggerimenti e desideri. Restano le straordinarie vestigia del potere che hanno lasciato i nostri avi; ad esempio i grandi palazzi e le grandi ville della Sicilia che sono un patrimonio di inestimabile valore architettonico e culturale.»

Gli ho chiesto se il principe di Salina del *Gattopardo* rappresenta già la crisi di una certa società:

«È un argomento molto triste, perché ha generalizzato qualcosa che pure esiste: questa specie di fatalismo, il senso della distruzione di una stirpe, di un periodo. Ma è prevalentemente un'impressione letteraria. Tanta gente del nostro ceto, non avendo più i mezzi economici e politici che aveva una volta, si dà un grande da fare. Chi riesce e chi non riesce: come capita in tutte le classi sociali.»

– Come è che ogni tanto riaffiorano nostalgie borboniche?

«Ma è giusto che ci siano, perché la storia la fa chi vince. Vinsero i Savoia, e non voglio fare nessun attacco, sono stato anche per brevi periodi, durante la guerra, ufficiale di ordinanza di re Vittorio Emanuele III e del principe Umberto.

«I Borboni crearono un regno di straordinaria opulenza per quel tempo, di eccezionale organizzazione. Mentre i piemontesi arrivarono e colonizzarono, a modo loro, il Sud.

«Ma non c'è più spazio per la nostalgia di un certo mondo. Ognuno vale per quello che è. Uno dei motti della nostra famiglia è: "Principem esse quam viveri", bisogna essere principi e non sembrarlo.

«La Sicilia ha delle straordinarie capacità, delle potenzialità umane ancora sconosciute, ma purtroppo non sono state valorizzate in nessuna maniera. Per me la Sicilia è tutto. È la mia vita. Vi sono tornato. La grande tragedia è che i nostri figli e i nipoti vanno via perché non c'è spazio per loro. E non tornano più.»

Il successo è arrivato anche per Andrea Camilleri, è in testa alla lista dei bestseller con quattro o cinque titoli di romanzi. Mai visto. Dopo vent'anni il suo commissario Montalbano è diventato popolare. Mi fa piacere per lui e per Elvira Sellerio che ha creduto in quel riservato e composto sceneggiatore e regista televisivo che, a settantacinque anni, vede riconosciuto il suo talento.

Da mezzo secolo vive e lavora a Roma, ma gli è rimasto l'accento degli agrigentini. È un'altra scoperta di Sciascia.

Dice infatti:

«Siciliano è Sciascia. E un siciliano è anche Vittorini. Parlo dei due esempi: dei siciliani di scoglio, quelli che rimangono attaccati, anche se per un po' si allontanano, e quelli di mare aperto, come era Vittorini.

«C'è un film famosissimo, di qualche tempo fa [*Sedotta e abbandonata* di Pietro Germi], nel quale un maresciallo dei carabinieri, stufo di certe situazioni nelle quali si trova coinvolto, sulla carta geografica che rappresenta l'Italia con la Sicilia e la Sardegna, mette una mano sulla Sicilia, quasi a nasconderla.

«Assistevo a questo film al mio paese e uno accanto a me disse: "Attento, ca l'Italia sciddica". Voleva dire: se levi la Sicilia, l'Italia se ne viene giù».

– Dico una mia opinione: credo che i siciliani siano tra i più gentili tra gli italiani. Penso che non baratterei il maestro Sciascia con il maestro di Vigevano, e hanno dato tanta intelligenza all'Italia. Che cosa li distingue?

«Per quanto possa sembrare un po' strano dirlo, la lealtà, il senso dell'amicizia e soprattutto la voglia di capire gli altri.»

– E allora, come si spiega la mafia?

«È stato un sistema di protezione reciproca, di difesa, che poi ha degenerato fino ad arrivare a una delinquenza pura. Un sistema di interessi.»

Il suo linguaggio è singolare e colorito come le sue pantagrueliche descrizioni: la Sicilia come una festa. Cosa compera il poliziotto Montalbano al Caffè Albanese, dove facevano i migliori dolci di

Vigàta? «Venti cannoli appena fatti, dieci chili tra tetù, taralli, biscotti regina, mostazzoli di Palermo, dolci di Riposto, frutti di martorana e, a coronamento, una coloratissima cassata di cinque chili». E come la signora Franca gli «conza» una «tannicchia» di pane di frumento? Come glielo «conzava» la nonna, quando era «picciriddu».

«Con olio d'oliva, sale, pepe nero e pecorino.» Andava mangiato sotto il sole, «senza pensare a niente».

«L'ironia» ha detto Camilleri «è l'unico modo sincero per raccontare la Sicilia.» Brancati lo aveva capito benissimo, e pensava che la felicità è la ragione, che anche Sciascia apprezzava, ma con scetticismo. L'esempio è Pirandello, il padre di tutti.

Come l'hanno vista

Un Eden palermitano

Ho passato delle tranquille ore deliziose nel giardino pubblico, in prossimità del molo. È il più meraviglioso angolo di questa terra concepito sopra un disegno normale, ha tuttavia qualche cosa di fiabesco; piantato da poco tempo, ci trasporta nel mondo antico. Aiuole verdeggianti racchiudono piante esotiche; spalliere di agrumi s'incurvano in graziose capanne; alte pareti di oleandri, adorne di mille fiorellini rossi simili ai garofani, vi avvincono con lo sguardo. Alberi strani a me del tutto ignoti, ancora senza fogliame, probabilmente di paesi tropicali, allargano le loro ramificazioni curiose. Una panca collocata in un viale dietro lo spazio in piano permette di abbracciare d'un colpo d'occhio una vegetazione così intricata e straordinaria, e domina delle grandi vasche, in cui pesci dorati e argentati ora guizzano graziosamente, ora si appiattano fra il muschio del canneto, ora ritornano ad aggrupparsi in frotta, attratti da una mica di pane. Le piante ostentano un verde al quale noi non siamo assuefatti e che ora è più giallastro, ora più azzurrastro che da noi. Ma quello che conferiva all'insieme una grazia incomparabile era una vaporosità intensa, diffusa uniformemente su tutto, d'un effetto tanto più notevole quanto più gli oggetti, a pochi passi l'un dall'altro, spiccavano grazie a un tono azzurro chiaro marcato, in modo che o il loro vero colore finiva col perdersi, o si presentavano allo sguardo per lo meno intensamente colorati d'azzurro. [...]

L'impressione di quel giardino incantato m'era rimasta troppo profondamente scolpita nell'anima...

Palermo, sabato 7 aprile [1787]

WOLFGANG GOETHE

Quieta non movere

«Ho capito benissimo: voi non volete distruggere noi, i vostri "padri". Volete soltanto prendere il nostro posto. [...] È così? Tuo nipote, caro Russo, crederà sinceramente di essere barone; e tu diventerai, che so io, il discendente di un granduca di Moscovia, mercé il tuo nome, anziché il figlio di un cafone di pelo rosso, come proprio quel nome rivela. E tua figlia, già prima, avrà sposato uno di noi, magari anche questo stesso Tancredi, con i suoi occhi azzurri e le sue mani dinoccolate. [...] "Perché tutto resti com'è". Come è, in fondo: soltanto una inavvertibile sostituzione di ceti.»

GIUSEPPE TOMASI DI LAMPEDUSA

Magia a Catania

La Casa del Mago. In fondo al lungo corridoio, la famiglia del Mago spia incuriosita. Il cliente è introdotto in una stanzetta sovraccarica di suppellettili magiche, con grandi pitture di gnosticismo aggressivo opera del mago stesso in rapimenti medianici, una Vergine di Luce contratta dal mal di denti, manine di cera, gironi zodiacali, coppe da tornei sportivi e foto di congressi di Parapsicologia, visioni cristocentriche, madonnine catanesi, innumerevoli sogghigni d'Oriente e d'Occidente... Non c'è da scherzare: è realmente il mondo magico, coi suoi nodi e la sua porzione di potere.

GUIDO CERONETTI

XII

Roma
(Una umanissima «caput mundi»)

«Cosa non sarebbero il Colosseo, il Pantheon [...] e tanti monumenti demoliti per farne chiese, se fossero rimasti fieramente in piedi...»

STENDHAL

«Contro l'opinione corrente, [...] gli italiani non sono discendenza diretta dei romani, ma un popolo nuovo...»

GIUSEPPE PREZZOLINI

«Roma mica sse fabbicò tutt'in botto.»

DETTO POPOLARE

«O Roma o Orte» diceva Mino Maccari, che odiava la rettorica. Quanta enfasi, e quante rotture di tasca, in nome delle glorie passate.

Ci fu un tempo in cui venne imposto addirittura il «saluto romano». Inventarono, come madre dei due ragazzacci, presunti fondatori della città, addirittura una lupa: il bronzo, in origine, rappresentava un maschio, e le tette vennero saldate per puntellare la leggenda e per motivi di sostentamento: qualcuno doveva pure sfamare gli infelici gemelli.

Gli equivoci dovuti alla pomposità e alla disinvoltura non sono pochi: per anni un invitto condottiero, Marco Aurelio, è stato scambiato per il conciliante Costantino, il Tevere risulta «biondo» solo per il poeta: in realtà fa anche schifo, e se immergi un dito puoi cadere fulminato.

C'è la Roma dei Cesari e del Colosseo, quella dei papi e quella di Alberto Sordi, della Sora Lella e della «pajata» (uno squisito piatto popolare). E prima ancora quella di Trilussa e di Petrolini, che rifaceva l'antenato Nerone: «Tigellino» invocava «dammi la lira». E quello arrivava con una moneta.

E poi quella dei discorsi ufficiali, delle riviste e delle inaugurazioni e la precedente di Pasquino, la

Gli italiani eran tutti balilla

Il mio primo libro di lettura, alle elementari, era intitolato *Il balilla Vittorio*, e mi piaceva molto perché raccontava le avventure di un bambino che, come me, era arrivato in una città, nientemeno Roma, dalla provincia. Io, più modestamente, a Bologna.

L'ho ritrovato su una bancarella: racconto di Roberto Forges Davanzati. Si parla del duomo d'Orvieto, e c'è una scultura che rappresenta il sonno di Adamo, non potevano cavargli una costola senza anestesia, c'è un affresco che rappresenta il Finimondo, c'è la campagna. I buoi che tirano la trebbiatrice si chiamano Principino e Saltamiglio.

Poi la scoperta di Roma: gli elefanti del giardino zoologico, gli orsi bianchi sugli scogli di cemento, il Foro, con la fotografia del duce che passa a cavallo, «con la sua faccia forte, gli occhi rotondi di aquila, il bianco pennacchio sul fez nero».

Un capitolo è intitolato: «L'Italia dei balilla». Eravamo, in un certo senso, del predestinati. Ho ripescato una poesia da un giornaletto che ci davano a scuola: «Nel cuore dell'estate / è nato verso sera / un bel balilla biondo / con la camicia nera». Tutto previsto.

Diceva Federico Fellini: «Se non siamo cresciuti proprio stupidi è un miracolo».

maschera che sbeffeggiava i potenti, mentre adesso c'è la Roma che ce l'ha con Milano per uno scalo aereo, mentre accoglie generosa quelli che arrivano da tutte le parti: quanti sarti abruzzesi e quanti vetturini marchigiani.

Una volta i romani le rivalità di borgata le risolvevano a sassate, e si ricorda l'odio che correva tra il rione Monti e quello di Trastevere.

Sono andato a Roma la prima volta quando c'era la Mostra del Decennale: 1932-33, in autunno. Non da balilla, anche se invidiavo i piccoli camerati che partivano per il Campo Dux, ma da «aspirante» dell'Azione cattolica: crescendo potevo diventare «juniores». Non andò così. Si cambia.

Della Mostra delle camicie nere ho in mente una sala buia dedicata ai caduti e delle voci che dicevano ossessivamente «Presente», e poi una fotografia che riprendeva Marconi in divisa regolamentare, con un inutile moschetto in braccio, che faceva il suo turno di guardia.

Ricordo il lungo viaggio in treno: non c'era ancora la direttissima Bologna-Firenze e si passava da Porretta e da Pistoia.

Al ritorno i miei amici più grandi mi portarono ad Assisi e a Perugia, e sentii le campane di San Francesco che suonavano all'alba, e a Perugia vidi che Carducci, come i soldati e le serve, aveva scritto la sua firma sui muri delle chiese: la proteggevano con un vetro, e mi colpì quella prova di inciviltà.

Poi ci sono stati altri soggiorni nella capitale: ci ho vissuto anche un anno per una «improvvida iniziativa», come avrebbe detto Fanfani, perché andai, con una generosa offerta di Ettore Bernabei, a dirigere il telegiornale.

Lasciamo stare: non sono proprio adatto alle mediazioni, né ai rapporti con i diversi «Palazzi». Sono ancora grato a Moro, allora segretario della Democrazia cristiana: non mi chiese mai nulla.

Ritratto di statista

Una volta andai a trovare Moro nel suo ufficio in via Savoia, a Roma. Parlammo a lungo, non presi appunti. Era un momento difficile: sembrava che la sua storia pubblica fosse conclusa. Ricordo di quel colloquio una frase: «Ho sempre cercato di evitare il peggio».

Sul professor Aldo Moro si sa poco; scarseggia l'aneddotica. Credo che nessuno dei compagni di partito sia entrato in casa sua, non c'era una trattoria che lo riconoscesse come cliente, della moglie, negli archivi, si trovava una sola fotografia, mentre si recava a un pranzo d'obbligo al Quirinale. Diceva la signora Eleonora: «Mio marito fuori dai suoi doveri politici va considerato vedovo e senza prole». Era segretario della Dc e io dirigevo l'unico telegiornale della Rai: mai una telefonata, una raccomandazione.

Aveva fiducia negli italiani e nella forza della democrazia, anche se confessava: «Io sono un pessimista per natura».

Governava il primo centrosinistra: per i vari *Specchio* e *Borghese*, per la stampa di destra sembrava che lo avessi voluto io. Nazionalizzarono l'energia elettrica e nell'informazione fu una rissa.

Mi piaceva la gente, che per la verità avevo poche occasioni di frequentare. Come tutti quelli di modeste risorse, io sono uno che si applica: lavoro molto e, come qualcuno dice, anche troppo. Ma non ho – è lontana la giovinezza – altro hobby.

Non è vero che i romani sono cinici, ma ne

hanno viste tante e si difendono dall'autorità: quella ecclesiastica, quella politica. Hanno inventato la «pennichella»: sonnecchiano nell'ora stabilita.

Non si turbano neppure davanti agli eventi. Racconta Luigi Ceccarelli, il cui padre, con la firma «Ceccarius», coltivava le memorie della città, alcuni fatterelli che servono a capire i caratteri. Uno straniero smarrito chiede a un portiere dov'è piazza di Spagna. Risposta: «Sì, lo so, ma non me va de dillo».

Nei primi giorni del Novecento compare nel cielo uno Zeppelin e un bambino meravigliato, affacciatosi alla finestra, avvertì il nonno: «Passa un dirigibile». Risposta: «Non m'importa, lo vedo sulla *Domenica del Corriere*».

Dicono che Umberto II, ancora principino (avrà avuto sì e no una decina d'anni) accompagnò il Kaiser Guglielmo II in una passeggiata nella campagna romana. Si fermarono a una osteria e il vinaio, alle presentazioni, non si scompose: si spazzò nel grembiule la mano unta e, porgendola all'illustre cliente, esclamò: «M'à rallegro, m'à rallegro».

Questo è il passato che adesso viene celebrato in certe trattorie tipiche o sull'Appia Antica, dove degli ex posteggiatori si travestono da centurioni o da gladiatori, con un'aria rassegnata da coglionacci, per farsi fotografare assieme ai turisti: come il cammello che è a disposizione dei pellegrini a Gerusalemme.

E poi i geni della toponomastica si adeguano: così il piazzale dedicato a Romolo e a Remo passa

Piazza di Spagna

Ogni palazzo, e ogni strada qui attorno, ha un riferimento con l'arte o con la letteratura: Alfieri abitò alla Locanda del Sartore, Casanova fu segretario all'ambasciata spagnola, Liszt scendeva all'Albergo Alibert e alla Trattoria della Barcaccia, in via Condotti, prendevano i pasti studiosi come Winckelmann, il grande archeologo e critico d'arte tedesco. C'era il Caffè degli Inglesi, molto frequentato dagli stranieri, e c'è sempre la sala da tè Babington, riservata, tranquilla, dove tutti parlano e nessuno grida.

Adesso la piazza e gli scalini sono invasi dagli «hippies-artigiani» che esibiscono la loro merce: collanine, crocefissi, anelli, braccialetti, segni dello zodiaco fatti ingegnosamente con chiodi, filo di ferro, perline. Ma ancora oggi, come diceva d'Annunzio, «tutta la sovrana bellezza di Roma è raccolta in questo spazio».

C'è ancora il Caffè Greco, ai cui tavolini sedevano Goethe, Gogol', Wagner, fino a De Chirico, che viveva in un appartamento con le finestre sulla piazza, come Corrado Alvaro, e ci sono ancora le botteghe degli antiquari, quelle degli arredatori, le sartorie di moda, le gallerie d'arte.

a La Malfa e piazza Paganica, una illustre e antica famiglia, diventa niente meno dell'Enciclopedia italiana.

Una volta gli stranieri, francesi e tedeschi o spagnoli, occupavano dei borghi: c'è piazza di Spagna, e Trinità dei Monti era territorio francese: adesso si registra l'invasione dei filippini o degli extracomunitari che si danno appuntamento, nei giorni di festa, alla Stazione Termini o a piazza Risorgimento.

C'è anche chi custodisce la memoria del tempo che fu: come due garbati signori, Manlio Barberito e Antonio Martini, della Fondazione Besso.

È la Roma con i carretti e gli autobus con le cifre N-T, linea Nomentano-Testaccio, molto pulita, provvedevano i «monnezzari» e la «pisciabotte», che irrorava la strada. La posta veniva recapitata quattro volte al giorno (650.000 abitanti), mentre oggi, dicono, due volte al mese.

Erano davvero «romani de Roma», nati nel cerchio delle mura, poi cattolici apostolici, obbligo la scuola dai preti, superstiziosi: guai a mettere un cappello sul letto; scarsissima propensione ai viaggi, perché il meglio è già lì, un forte senso dell'amicizia, indifferenza per le carriere e i soldi, perché hanno visto crollare glorie e reputazioni, fastidio per le novità e ognuno al suo posto.

Avevo una zia portinaia a via Tor di Nona: e mi pare che ci sia stato un certo ordine anche nella sistemazione degli inquilini. C'era una vecchia nobile, di quelle con la veletta, che abitava al primo piano, quello del «signore»; al secondo stava un funzionario della curia, al terzo un bottegaio, all'ultimo mia zia e un operaio. Andavano d'accordo.

La vita, bene o male, era rappresentata anche nell'avanspettacolo: il comico Bambi recitava il monologo: «Il fattaccio di vicolo del Moro», e ricordo il «fantasista Rascel» che faceva ridere, con quella statura, nel «numero» del corazziere. Era

Difesa di regista

Roberto Rossellini: «Sono sempre coperto di insulti. I critici hanno il loro schema, se lo sono fabbricato amorevolmente, guai se ne esci fuori. La prima di *Paisà* fu a Venezia. Mi era morto un figlio, avevo guai, non uscii di camera. Il portiere dell'albergo mi portò un pacco di giornali. Lessi: "La mente ottenebrata del regista". Per *Germania anno zero* furono più gentili: ero diventato involuto».

Enzo Biagi: – Ci patisce?

«No. Sono perfettamente cosciente che la mia indipendenza rompe le scatole a tutti. Sono anche rispettato da un sacco di persone, odiato da altri.

«Vivo isolato, lavoro venti ore al giorno. Se ti preoccupi di oggi lasci un ricordo, non un segno. La ricchezza economica, i trionfi effimeri li ho sempre respinti. Grazie papà, dicono i miei figli, che non ci hai lasciato la preoccupazione dei soldi per quando non ci sarai più. Se non la pensassi così sarei o uno stupido o un mostro, per tutte le buone occasioni che ho sprecato.»

anche profetico quando cantava: «È arrivata la bufera, / è arrivato il temporale»: e fu il giugno 1940.

Difficile capire Roma: Bernardino Zapponi, sceneggiatore di tanti film di Fellini, dice che «Roma non annoia mai». Rievoca le passeggiate con Federico, soprattutto nei luoghi degradati, le facce dei macellai del mattatoio, sbragati, vergognosi, che ripetevano i volti scolpiti in busti marmorei.

E quella del varietà, con il pubblico sguaiato, le 6 ballerine 6 che non nascondevano qualche traccia di cellulite, le battute spiritose, e anche volgari, della platea: «Ah Cacini, facce ride'».

Ho conosciuto due registi che Roma l'hanno celebrata: Rossellini e Fellini. *Roma città aperta* ha rappresentato nel mondo il nostro aspetto più alto: quello umano.

Incontrai Rossellini in casa di un amico, Giorgio Cingoli, che allora dirigeva *Paese Sera*. Rossellini parlava con abbandono, e la notte si consumava. Avevano ragione quelli che dicevano che gli piaceva incantare la gente, diffondeva attorno a sé molta simpatia. Non si commemorava.

Mi spiegò che aveva girato quel film indimenticabile rubando la luce alla Sala corse di via degli Avignonesi, il negativo non esisteva, comperavano spezzoni da venti, trenta metri dagli «scattini», i fotografi ambulanti. Sospirava: «Ho fatto sei milioni di debiti che mi sono tirato dietro per la vita».

Aveva avuto accanto a sé donne bellissime, era stato inseguito dalle cambiali e dalla celebrità. Raccontava: «Quando il film uscì vidi le recensioni. Una diceva: "Bruttissimo e banalissimo". Un'altra precisava: "Questo cretino che confonde la cronaca con l'arte"».

Federico amava Roma, anzi amava Cinecittà: il suo ufficio, la piccola camera da pranzo, il letto sul quale poteva buttarsi e poi le stesse persone che stavano sempre con lui. Abbiamo passato tante sere insieme, al ristorante bolognese della Cesarina, e andavo a trovarlo quando girava.

L'ultima visita sul set fu per *La città delle donne*.

Ricordo di un amico

Negli Stati Uniti si ricordano di Fellini; in Italia non hanno mai trovato il tempo per farlo senatore. Smentito ancora una volta lo slogan del Sessantotto: da noi la fantasia non va al potere, non arriva neppure a Palazzo Giustiniani.

In tutto il mondo si diceva: «Ha una faccia, è un tipo felliniano». Ha segnato il nostro tempo, lo ha raccontato. Poteva farlo, perché era anche un grande giornalista: era sempre dentro la cronaca e sapeva giudicarla. Ma era anche, come tutti quelli della nostra generazione, in qualche modo prigioniero del passato. Il cinematografo per noi era tutto; adesso è un optional.

Ci siamo conosciuti nel '45 e posso dire che siamo invecchiati insieme, che quello che lui ha fatto mi ha sempre consolato. Ho conosciuto tanta gente, ma per me era un privilegio avere un amico così. Non l'ho mai intervistato, abbiamo sempre parlato, a un tavolo di trattoria o in casa sua. Una conversazione che è durata quasi mezzo secolo.

Fellini ne aveva scelte mille: un campionario di sederi, di tette, di sguardi, di gambe, gentili come fate, oppure inquietanti come maghe, tenere e perverse, vecchie e giovani, matte e fanatiche, bambine e maliarde.

Girò qualche scena nei prati di erba sporca. Fellini amava quei posti, nel Teatro n. 5 aveva realizzato *Amarcord* e *Casanova*.

La sequenza si svolgeva ai bordi di un aeroporto un po' allucinante, con la pista segnata da fari di ogni colore e ondate di nebbia artificiale che rendevano ancora più vago il paesaggio. C'erano due vecchie auto cariche di ragazze *punk*, strampalate, che rabbrividivano con le spalle nude nell'aria d'inverno e inseguivano il povero Snaporaz, Marcello Mastroianni, ossessionato dalla languida e intollerante presenza muliebre.

Ho conosciuto Garinei e Giovannini nei giorni lontani della loro prima rivista: *Cantachiaro*. Roma era invasa dalle jeep degli americani, dalle bancarelle del mercato nero, dalle camionette, che sostituivano gli autobus, e dalle «segnorine».

De Sica si preparava a narrare la storia e i sogni di un piccolo lustrascarpe. Rossellini girava, con pellicola quasi scaduta, il diario della città occupata dalla Wehrmacht. Hanno scritto canzoni che si cantano ovunque: *Arrivederci Roma, Roma non far la stupida stasera*. Hanno inventato la nostra commedia musicale e si sta riprendendo *Rugantino*.

Mi racconta Garinei:

«Il pubblico è cambiato. È più desideroso di andare a teatro. Ed è più rapido nell'accettare i fatti. È vero, come tu dici, che mancano Totò, Macario, Walter Chiari, Dapporto, Fabrizi, Rascel; la loro forza veniva anche dal fatto che la loro palestra era stata l'avanspettacolo. Era un piccolo varietà e si svolgeva prima del film, e quei comici, quelle ballerine facevano quattro o cinque spettacoli al giorno. Ed era una platea di una severità incredibile: fischiava,

G. & G.: due ragazzi irresistibili

Quanta gente in gamba è uscita dalle redazioni per fare grandi cose nel cinema o sul palcoscenico. E penso a quante scoperte hanno fatto G & G, quante invenzioni. Sordi con l'Osiris, Andreina Pagnani che lascia Pirandello per rappresentare le buffe e assurde vicende della *Padrona di Raggio di Luna*, la gentilezza e il talento di Delia Scala, Marcello Mastroianni che rivive le imprese amorose di Rodolfo Valentino. E Renato Rascel, con quei personaggi che respirano un po' l'aria di Chaplin e quella di Čechov, gli omini sconfitti che vogliono fare i corazzieri, poi Macario, che con un lazzo, o una smorfia, anima la ribalta.

Pietro Garinei è farmacista, Sandro Giovannini era dottore in legge: tutti e due con uno straordinario intuito del copione e della regia, bravi senza orgoglio, devoti fino all'ossessione al loro mestiere, che è stato, ed è, una maniera di vivere.

beccava, aveva battute più forti di quelle degli attori sul palcoscenico. Questa scuola non c'è più. C'è la televisione: un obbiettivo ti riprende. Si accende un cartello; dice: applausi. E battono le mani.

«E le "soubrette"? Wanda Osiris era una divinità, una specie di miracolo: incantava, aveva fascino. Delia Scala è stata una rivoluzione: ha sconvolto il mito della "bonona", della signora carica di piume, era la semplicità, la freschezza.»

– Siamo al Sistina. Cos'è nel panorama italiano?

«Per i romani un appuntamento al quale rispondono con piacere, con simpatia. La musica del pubblico è la cosa più bella della mia giornata. È bello quando escono la sera canticchiando il motivo che hanno sentito, scambiandosi le battute. Si sente che lo spettacolo è piaciuto, e si è contenti di avere lavorato per il teatro.»

La notizia, o la conferma, la diede Pippo Baudo: l'attore più caro al nostro popolo è Alberto Sordi. Albertone non rappresenterebbe soltanto un colorito personaggio di Trastevere, ma interpreta, e credo sia vero, la psicologia dell'italiano medio; è, in poche parole, un eroe nazionale. C'è chi ha detto che viene dalla commedia plautina: sarà, ma anche dal Teatro Jovinelli, con Bambi, Brugnoletto e via dicendo.

Sullo schermo recita un tipo di pataccaro che esiste in Parlamento, nella diplomazia, negli affari e anche, oserei dire, nell'informazione. È uno che fa capire di saperla lunga, di contare moltissimo, di volere e di potere, sbruffone, sfrontato, indifferente, desideroso di riuscire in ogni modo simpatico a quello che considera un possibile superiore e padrone.

Ma oltre al bullo romano, c'è anche il bauscia milanese, e non dimentichiamo il servo di piazza e il ruffiano delle commedie goldoniane, o l'enfatico dottor Balanzone delle maschere bolognesi.

Dice Sordi:

«A me è capitato di incontrare i personaggi

che ho portato sullo schermo. Dovevano rispecchiare una realtà della vita: io li ho visti così. Ma insomma, più o meno, sono italiani.»

– Lei è molto religioso. Qual è il peccato più grave?

«È la bugia. Un gentiluomo la può dire solo in certi casi.»

– Quali?

«Quando si tratta di vicende amorose.»

– Lei ne ha dette molte?

«Sempre. Mai parlato di una relazione con una donna.»

– Lei è stato amato da una grande attrice, Andreina Pagnani. Ha mai pensato al matrimonio?

«Non ho mai fatto cenno al fatto di sposarmi con nessuna. Perché io a quindici anni sono entrato in un Eden, un paradiso terrestre. Nella compagnia di Riccioli e di Nanda Primavera c'erano sessanta donne di tutti i paesi del mondo. Può immaginare. Quando penso alle mamme che chiedono al sessuologo che cosa deve fare il figlio...»

– Ma chi è un italiano?

«Un grosso personaggio, anche preoccupante.»

– E un romano?

«È trascurabile, perché è preso da una indolenza tale che io consiglierei a tutti di acquisirla, perché è vera filosofia.»

– Lei è mai triste?

«Ho capito che non gliene importa niente a nessuno delle mie malinconie, perciò non mi confido mai. Le tengo per me. E dico sempre: tutto bene.»

– Ha dei rimpianti?

«Nessuno.»

– Qual è il personaggio della nostra storia che le piace di più?

«Garibaldi: mi faceva ridere.»

– Ma perché?

«Be', intanto per come vestiva: in costume. È come i poliziotti privati che prendono iniziative: nessuno gli chiedeva di farlo. Ha contribuito all'unità d'Italia. Però non si sa se ha fatto bene o male.»

– Quando la banda suona *Fratelli d'Italia,* lei a che cosa pensa?

«Non penso, mi commuovo.»

– Tutti i paesi hanno un motto; i francesi: «Libertà, uguaglianza, fraternità», gli americani: «Crediamo in Dio», gli inglesi: «Dio salvi il re» o la regina. Per noi Longanesi proponeva: «Ho famiglia». Lei avrebbe qualche altra idea?

«Mamma.»

Come l'hanno vista

Stupenda o? ...

Le mura di San Pietro son tutte rivestite d'oro, le porte occidentali di rame di Cina, e quelle che immettono nel loro santuario sono anch'esse rivestite d'oro, così come lo è il luogo ove seggono i preti.

HARÙN IBN YAHYA [880-890]

A Roma le chiese sono meno belle che nella maggior parte delle prime città italiane...

MICHEL DE MONTAIGNE

Roma è una città eterna. [...] Ecco duemilacinque o seicento anni che vive, ed è sempre, in un modo o nell'altro, metropoli d'una gran parte dell'universo.

MONTESQUIEU

La prima cosa che vidi fu la chiesa di San Pietro. Trovai la facciata più teatrale che imponente [...]. Tuttavia, non si può immaginare fino a che punto è vasto questo edificio; e se la sua grandezza non colpisce, lo si deve alla bellezza delle sue proporzioni.

D.A.F. DE SADE

Il 2 febbraio siamo andati nella Cappella Sistina, per assistere alla cerimonia della benedizione dei ceri. [...] Ecco qua precisa-

mente i ceri, che da tre secoli anneriscono questi affreschi stupen-
di, ed ecco l'incenso che, con santa sfrontatezza, non solo avvolge
di vapori il sole unico dell'arte, ma di anno in anno lo offusca
sempre più e finirà con l'immergerlo nella tenebra.

WOLFGANG GOETHE

I pedanti, che nella Roma moderna trovavano un'occasione
per fare sfoggio del loro latino, ci hanno persuaso che essa
[Porta del Popolo] *sia bella: ecco il segreto della fama della*
città eterna.

STENDHAL

In Roma, dove v'ha monumenti d'ogni età dalle egiziane alla
presente, si può in questi considerare la sommità, la decadenza, il
distruggimento dell'umana immaginazione e illusioni...

GIACOMO LEOPARDI

Roma mi deprime. È un'incredibile città morta, rannicchiata
nel suo passato, risonante dell'armi e sempre con le sue scarpe vec-
chie.

HENRY W. LONGFELLOW

La trasformazione di Roma da semplice città in metropoli, av-
venimento inevitabile nella storia dell'unità, è stata troppo repen-
tina, e continua in maniera troppo rapida, per non prendere
aspetti critici.

GUIDO PIOVENE

Roma: istruzioni (sempre valide) per l'uso

L'uomo che vuole far fortuna a Roma deve essere un cama-
leonte capace di assumere tutti i colori che l'ambiente in cui vive
richiede. Deve essere abile, intrigante, falso, impenetrabile, com-

piacente, spesso perfino ignobile. Deve sempre fingere di essere sincero, deve far credere di sapere meno di quello che sa e deve usare sempre lo stesso tono di voce. Deve essere paziente, deve padroneggiare i propri gesti, deve essere freddo come il ghiaccio quando un altro al suo posto brucerebbe; e se ha la sventura di non avere la fede nel cuore, deve averla nella mente. Infine, deve soffrire in pace, se è una persona per bene, la mortificazione di doversi ritenere ipocrita. Se detesta un simile comportamento, gli conviene lasciare Roma e andare a cercare fortuna in Inghilterra.

GIACOMO CASANOVA

Viaggiatori e osservatori
antichi e moderni

Alvaro, Corrado, *Lungofiume*, in *Opere*, 2 voll., a cura di Geno Pamploni, vol. II, Milano, Bompiani, 1994

Boccaccio, Giovanni, *Andreuccio da Perugia*, in *Decameron* (gior. II, 5), a cura di Enrico Bianchi, Milano-Napoli, Riccardo Riccardi, 1952

Calvino, Italo, *La gallina di reparto* [1954], in *Racconti e romanzi*, 3 voll., edizione diretta da Claudio Milanini, a cura di Mario Barenghi e Bruno Falcetto, vol. II, Milano, Mondadori, 1992

Carducci, Giosue, *Momento epico*, in *Poesie di G. C.*, Bologna, Zanichelli, 1963

Casanova, Giacomo, *Storia della mia vita*, a cura di Piero Chiara e Federico Roncoroni, 3 voll., Milano, Mondadori, 1983

Ceronetti, Guido, *Un viaggio in Italia*, Torino, Einaudi, 1983

Dante Alighieri, *Commedia*, a cura di Emilio Pasquini e Antonio Quaglio, Milano, Garzanti, 1987

De Amicis, Edmondo, *Cuore*, a cura di Luciano Tamburini, Torino, Einaudi, 1972

Goethe, Wolfgang, *Viaggio in Italia (1786-1788)*, a cura di Lorenza Rega, Milano, Rizzoli, 1991

Gozzano, Guido, *Pioggia d'agosto*, in *Poesie*, a cura di Edoardo Sanguineti, Torino, Einaudi, 1973

Harùn Ibn Yahya, *Rûm*, in *Roma*, «Viaggi d'autore», Milano, Touring Editore, 1998

Hemingway, Ernest, *Addio alle armi*, in *Romanzi*, 2 voll., a cura di Fernanda Pivano, vol. I, Milano, Mondadori, 1992

Iacopo da Varazze, *San Francesco*, in *Legenda aurea*, a cura di Alessando e Lucetta Vitale Brovarone, Torino, Einaudi, 1995

Joyce, James, *Ulisse*, Milano, Mondadori, 1972

Leopardi, Giacomo, *Zibaldone*, a cura di Rolando Damiani, 3 voll., Milano, Mondadori, 1997

Lewis, Norman, *Napoli '44*, Milano, Adelphi, 1993

Longfellow, Henry W., cit. in *Roma*, Viaggi d'autore, cit.

Marinetti, Filippo Tommaso, *Contro Venezia passatista*, in *Archivi del Futurismo*, raccolti e ordinati da Maria Drudi Gambillo e Teresa Fiori, Roma, De Luca editore, [s.d.]

Marotta, Giuseppe, *L'oro di Napoli*, Milano, Bompiani, 1947

Malaparte, Curzio, *Maledetti toscani*, in *Opere scelte*, a cura di Luigi Martellini, Milano, Mondadori, 1997

Montaigne, Michel de, *Giornale di viaggio in Italia*, a cura di Ettore Camesasca, Milano, Rizzoli, 1956

Montesquieu, Charles-Louis de, *Viaggio in Italia*, a cura di Giovanni Macchia e Massimo Colesanti, Roma-Bari, Laterza, 1995

Ortese, Anna Maria, *Il mare non bagna Napoli*, Milano, Adelphi, 1994

Pascoli, Giovanni, *Romagna*, in *Opere*, a cura di Cesare Federico Goffis, vol. I, Milano, Rizzoli, 1970

Piovene, Guido, *Viaggio in Italia*, Milano, Baldini & Castoldi, 1993

Pound, Ezra, *Litania notturna a Venezia*, in *Opere scelte*, a cura di Mary de Rachewiltz, Milano, Mondadori, 1970

Sade, Donatien-Alphonse-François de, *Viaggio in Italia*, a cura di Maurice Lever, Bollati Boringhieri, 1996

Stendhal, *Roma, Napoli e Firenze*, Roma-Bari, Laterza, 1990

Tomasi di Lampedusa, Giuseppe, *Il Gattopardo*, Milano, Feltrinelli, 1959

Indice dei nomi

Indice generale

BUR
Periodico settimanale: 7 giugno 2000
Direttore responsabile: Evaldo Violo
Registr. Trib. di Milano n. 68 del 1°-3-74
Spedizione in abbonamento postale TR edit.
Aut. N. 51804 del 30-7-46 della Direzione PP.TT. di Milano
Finito di stampare nel maggio 2000 presso
lo stabilimento Grafica Pioltello s.r.l.
Seggiano di Pioltello (MI)
Printed in Italy

ISBN 88-17-86403-X